Cornelia Löhmer
Rüdiger Standhardt

TZI – die Kunst, sich selbst und eine Gruppe zu leiten

Einführung in die
Themenzentrierte Interaktion

Klett-Cotta

Klett-Cotta
www.klett-cotta.de
© J. G. Cotta'sche Buchhandlung Nachfolger GmbH,
gegr. 1659,
Stuttgart 2006
Alle Rechte vorbehalten
Fotomechanische Wiedergabe nur mit Genehmigung
des Verlags
Printed in Germany
Umschlag: Finken & Bumiller, Stuttgart
Zeichnungen: bergerdesign, Solingen
Gesetzt aus der ITC Veljovic von Kösel, Krugzell
Auf säure- und holzfreiem Werkdruckpapier gedruckt
und gebunden von Kösel, Krugzell
ISBN 978-3-608-94426-6

Zweite Auflage, 2008

Bibliographische Information der Deutschen Nationalbibliothek
Die Deutsche Nationalbibliothek verzeichnet diese
Publikation in der Deutschen Nationalbibliographie;
detaillierte bibliographische Daten sind im Internet über
< http://dnb.d-nb.de > abrufbar

Unseren Kindern
Thilo und Henning Löhmer
in Freude und Dankbarkeit gewidmet

Inhalt

Einleitung	9
Entdecke lebendiges Lernen und Lehren! – Was ist TZI?	15
Eine Frau setzt Maßstäbe – Zur Entwicklung der TZI-Methode	21
Inge – oder: Jede Geschichte hat ihre Vorgeschichte	30
Die Menschen stärken, die Sachen klären – Grundlagen der TZI	34
Die Axiome	*34*
Die Postulate	*39*
Die Kommunikationshilfen	*51*
Das Arbeitsprinzip der dynamischen Balance	*56*
Das Thema als inhaltliche Basis der Gruppenarbeit	*63*
Die Struktur als methodische Basis der Gruppenarbeit	*68*
Zum Umgang mit dem Schatten in der Gruppenarbeit	*71*
Zum Leitungsverständnis in Gruppen	*74*

Inges erste TZI-Erfahrung – oder:
Will ich auch, wenn ich soll, und darf ich auch
noch, wenn ich will?   79

Es geht um Werte – TZI und das
Menschenbild der Humanistischen
Psychologie und Pädagogik   99

Zur Tat befreien – Gesellschaftspolitisches
Anliegen der TZI   107

Genial einfach und hohe Kunst zugleich –
Würdigung der TZI   114

Inge macht sich auf den Weg – oder:
TZI ist einfacher gesagt als getan!   122

Wer's lernen will – Anmerkungen zur
TZI-Ausbildung   142

Wer's genauer wissen will –
Weiterführende Hinweise zu Aspekten der TZI   146

Wer weiter lesen will –
Literaturempfehlungen zur TZI   151

Quellennachweise   156

Über die Autoren   159

Einleitung

In den letzten vier Jahrzehnten hat die Themenzentrierte Interaktion (TZI) nach Ruth C. Cohn in Mitteleuropa eine weite Verbreitung gefunden und ist heute eines der meistangewandten Gruppenverfahren im Bereich der Humanistischen Psychologie und Pädagogik. In den üblichen Fachausbildungen und Studiengängen werden pädagogische Grundqualifikationen nur in unzureichendem Maße vermittelt. So verlassen ausgerechnet diejenigen, die eine intensive Arbeit mit Menschen anstreben, oft die Ausbildungsstätten als »soziale Analphabeten«, die erst durch den Praxisschock eine nachträgliche und ausgesprochen fragwürdige »pädagogische Qualifizierung« erhalten.

Das Gruppenkonzept der Themenzentrierten Interaktion arbeitet diesem Mangel entgegen, denn es vermittelt eine humanistische Grundhaltung und Methode, deren Bedeutsamkeit vielen Menschen unmittelbar einleuchtet. Die TZI benennt scheinbare Selbstverständlichkeiten im menschlichen Miteinander und zeigt einen Weg auf, wie diese wertschätzenden Umgangweisen eingeübt werden können.

Aufnahme fand TZI bislang vor allem in der Aus- und Fortbildung von Fachkräften in Pädagogik, Psychologie und Psychotherapie sowie in den Arbeitsfeldern Schule, Hochschule, Politik, Wirtschaft, Kirche, Selbsthilfe und Verwaltung. Daneben wird TZI in der Supervision, aber auch in der Organisationsberatung eingesetzt – kurz gesagt, überall da, wo Arbeitsgruppen ihren Kooperations- und Kommunikationsstil verbessern wollen.

In dem vorliegenden Buch erfahren Sie, was sich hinter dem Namen »Themenzentrierte Interaktion« verbirgt. Wir erläutern das Anliegen der TZI und geben Informationen zur Entwicklung des TZI-Konzepts. In dem Kapitel über die Grundlagen der TZI widmen wir uns zunächst dem anthropologischen, ethischen und pragmatischen Fundament der Themenzentrierten Interaktion und stellen im Anschluß daran die Methodik in ihren einzelnen Elementen vor. In einem gesonderten Kapitel beleuchten wir TZI auf dem Hintergrund der Humanistischen Psychologie und Pädagogik. Ausführungen zum gesellschaftspolitischen Anliegen der TZI schließen sich an, und mit einer Würdigung der TZI beenden wir den theoretischen Teil des vorliegenden Buches.

Einen ersten Einblick in die konkrete TZI-Arbeit erhalten Sie durch Inge, die Hauptperson unserer Rahmengeschichte. Sie werden Inge bei einigen TZI-relevanten Schritten auf ihrem privaten und beruflichen Weg begleiten. Inge ist kein Prototyp des TZI-Menschen, vielmehr ist sie eine Frau, die von TZI gehört hat, die sich zu interessieren beginnt, einige Seminare besucht und sich schließlich für die Ausbildung zur TZI-Gruppenleiterin entscheidet. Möglicherweise haben Sie mit Inge den ersten Schritt gemeinsam: Sie haben von TZI gehört und wollen sich jetzt durch dieses Buch informieren, was TZI ist, wie sie wirkt und wo sie eingesetzt werden kann. Die Lektüre gibt Ihnen eine erste Orientierung, sie kann jedoch weder praktische Erfahrungen mit TZI noch ein Literaturstudium ersetzen. Entsprechende weiterführende Hinweise, einen Überblick über die TZI-Ausbildung sowie Literaturempfehlungen finden Sie am Ende des Buches.

Alle Themen haben immer auch einen persönlichen Bezug – so ist es auch mit diesem Buch. Beide haben wir unabhängig voneinander bereits als Teenager Erfahrungen mit Gruppen gemacht und wurden in diesen Zusammenhängen ermutigt, selbst Gruppen zu leiten. Autodidaktisch erarbeiteten wir uns damals die wichtigsten Grundlagen und stellten fest: Auch ohne Aus- und Weiterbildung klappte das Ganze ziemlich gut. In den 80er Jahren hatten wir Lust, das Gruppenleiten professionell zu erlernen. Wir absolvierten etwas zeitversetzt eine mehrjährige Ausbildung in Themenzentrierter Interaktion und beschäftigten uns mit den unterschiedlichsten körperorientierten, therapeutischen und spirituellen Verfahren. Anfang der 90er Jahre veröffentlichten wir verschiedene Bücher und Artikel zur Themenzentrierten Interaktion, unter anderem auch ein umfangreiches Handbuch zur TZI im Klett-Cotta Verlag und ein Einführungsbuch in die TZI, das 1992 beim Pal-Verlag erschien und vier Jahre später in niederländischer Übersetzung herauskam. Dieses »Pal-Buch« ist seit einiger Zeit vergriffen – in überarbeiteter und aktualisierter Form steht es Ihnen jetzt wieder zur Verfügung. Daß das Buch genau 40 Jahre, nachdem Ruth C. Cohn das Ausbildungsinstitut für Themenzentrierte Interaktion in New York gegründet hat, erscheint, freut uns, denn für uns ist die Themenzentrierte Interaktion nach wie vor die solideste pädagogische Basisqualifikation, wenn es um das Gruppenleiten geht.

Mittlerweile haben wir unseren persönlichen Stil entwickelt, mit dem wir Gruppen leiten. Grundlage unserer Arbeit ist nach wie vor die TZI. Geändert hat sich daran, daß wir mit diesem Verfahren viel undogmatischer und offener umgehen als in der ersten Zeit nach der TZI-Ausbildung. Heute fühlen wir uns der TZI in kritischer Solidarität verbunden, denn wir sind begeistert von der Wirkung lebendigen Lernens in Gruppen durch diese Methode. Dennoch verschließen wir nicht unsere Ohren vor den kritischen Tönen, die der TZI – wie allen anderen Methoden auch – entgegengebracht werden.

Die Themenzentrierte Interaktion ist ein ausgesprochen wandlungsfähiges Verfahren und bietet allen Menschen, die sich damit beschäftigen, Anknüpfungspunkte, die sie direkt in ihren privaten und beruflichen Alltag integrieren können. In unserer Arbeit ermutigen wir die Menschen daher immer, die ersten Schritte ins Gruppenleiten auch dann schon zu wagen, wenn sie noch nicht viel Erfahrung haben und sich wie Inge in unserer Rahmengeschichte vorzuarbeiten.

Wir danken Ruth Cohn für die Begegnungen und anregenden Gespräche auf Augenhöhe, Elfi Stollberg für die kontinuierliche Begleitung auf unserem Ausbildungsweg, Dietrich Stollberg für die Ermutigung, immer wieder neu den »Schatten« wahrzunehmen und ihn als selbstverständlichen Bestandteil des Lebens zu integrieren. Und wir danken allen, die uns auf unserem Weg zur TZI und mit der TZI begleitet haben.

Cornelia Löhmer & Rüdiger Standhardt
Giessen, im November 2005

Entdecke lebendiges Lernen und Lehren! – Was ist TZI?

Die Themenzentrierte Interaktion (TZI) nach Ruth C. Cohn ist ein Gruppenverfahren, das aus den Erkenntnissen der Psychoanalyse und den Einflüssen der Gruppentherapie entstanden ist.

Lebendiges Lernen

Das zentrale Anliegen des pädagogischen TZI-Konzepts ist das Lebendige-Miteinander-Lernen. Darunter ist ganzheitliches Lernen zu verstehen mit dem Ziel, sich selbst und andere so zu leiten, daß die wachstumsfördernden und heilenden Anlagen im Menschen angeregt und gefördert werden, nicht aber die stagnierenden und krankmachenden Tendenzen.

Drei Beispiele seien hier genannt: Es geht um Kooperationsbereitschaft anstelle von destruktiver Rivalität, Realitätssinn anstelle von persönlich oder gesellschaftlich bedingten Illusionen, Verantwortlichkeit anstelle von vorschnellem Anpassungsverhalten.

> Lebendiges Lernen heißt zu leben, während ich lerne.
> *Ruth C. Cohn*

Gesellschaftspolitisches Anliegen

Die TZI unterscheidet sich von anderen Gruppenverfahren am deutlichsten durch ihr klares gesellschaftspolitisches Anliegen. Daß diese sozial- und gesellschaftspolitische Dimension angesichts der ökologischen und nuklearen Bedrohung der Welt, durch das Nord-Süd-Gefälle und den zunehmenden Fremdenhaß zwar gefordert ist, gleichwohl von anderen pädagogischen Verfahren vernachlässigt wird, macht das TZI-Konzept um so wertvoller und realitätsnäher.

Wertebasis der TZI

Die Wertebasis für das System der TZI sind drei feststehende Grundsätze (Axiome), die auf existentiell-anthropologische, ethisch-soziale und demokratisch-politische Zusammenhänge hinweisen. Aus den humanistischen Axiomen der TZI hat Ruth C. Cohn zwei existentielle Forderungen (Postulate) abgeleitet, die deutlich machen, wie die Axiome im alltäglichen Leben zum Ausdruck kommen können.

Bevor wir uns eingehender mit diesen Grundannahmen der TZI beschäftigen, ist noch einiges zu den weiteren Anliegen der Themenzentrierten Interaktion anzumerken, insbesondere zum Verhältnis zwischen Sach- und Beziehungsebene, zum pädagogischen Konzept, zu den Anwendungsmöglichkeiten und zum Zusammenspiel von Methode und Haltung bei TZI.

Sach- und Beziehungsebene

Wer Erfahrungen mit Gruppen hat, sei es in der Erwachsenenbildung oder auch in der Gremienarbeit, weiß, wie oft eine inhaltlich trockene Bearbeitung bestimmter Themen eine lebendige Kommunikation weitgehend unmöglich macht. Die entsprechende Sitzung, der Elternabend, die Teambesprechung wird als langweilig und blutleer erlebt. Steht nämlich die Sachebene zu sehr im Vordergrund, kommen die einzelnen Menschen der Gruppe mit ihrer jeweils unverwechselbaren Persönlichkeit und Kompetenz zu kurz und das Potential der Gesamtgruppe kann sich nicht entfalten.

Im Unterschied dazu besteht in Selbsterfahrungsgruppen häufig eine Unausgewogenheit zugunsten der Beziehungsebene. Die emotionalen Anteile einzelner oder der Gesamtgruppe überragen eine sachliche Auseinandersetzung mit dem gemeinsamen Thema.

In beiden Fällen ist das Verhältnis zwischen Sach- und Beziehungsebene aus der Balance geraten. Im System der TZI sind Sach- und Beziehungsebene gleich wichtig. In der praktischen Umsetzung bedeutet dies, ein Klima herzustellen, in dem die Lernenden sowohl in ihren kognitiv-rationalen als auch in ihren emotional-sozialen Fähigkeiten ernst genommen und unterstützt werden. In einer sachlich orientierten Gruppe bedarf es der Ermutigung, den eigenen Zugang zum Lernstoff zu finden und die subjektiven Interessen zu formulieren, während in einer psychosozialen Gruppe Wert darauf gelegt wird, auch schwierige und theoretische Sachverhalte mit der notwendigen Ausdauer zu bearbeiten.

Hilfe zur Selbsthilfe

Das pädagogische Konzept der TZI bezieht sich in erster Linie auf Prävention bzw. Hilfe zur Selbsthilfe. Das Ziel der TZI ist nicht die Aufarbeitung individueller Probleme, Wünsche und Anliegen der Teilnehmenden, sondern ein »Wachwerden« für die Möglichkeiten der Veränderungen in der Gegenwart. Der pädagogische Wert der TZI ist das »Anritzen«, also Bewußtmachen unbewußter Konflikte, ohne daß die Ursache des Konfliktes durchgearbeitet wird. Solche unbewußten Konflikte werden in den Lernprozeß einer TZI-Gruppe einbezogen, indem die Frage nach dem »Was ist jetzt?« und »Wozu ist jetzt?«, nicht aber die Frage nach dem »Warum ist jetzt?« gestellt wird. Die Leitenden lassen dann den betreffenden Menschen selbständig das finden, was er in der jetzt aktuellen Situation braucht. Es geht um eine Haltung des Wahrnehmens und Annehmens. Der Betreffende erlebt, daß er so sein darf, wie er ist, einschließlich seiner Störungen und Widerstände. In solch einer akzeptierenden Atmosphäre braucht die Gruppe keine Aufmerksamkeit vorzutäuschen, und die Arbeit am Sachthema kann nach der Benennung der Blockierung meist um so intensiver fortgesetzt werden.

Sich-selbst- und Gruppenleiten

Eine weitere Besonderheit der Themenzentrierten Interaktion ist ihre Anwendungsmöglichkeit auf Alltagsgruppen, z. B. Teams, Abteilungen, Schulklassen, Wohngruppen, Vereine, Familien, Selbsthilfegruppen – kurz gesagt: TZI kann überall dort eingesetzt werden, wo Menschen miteinander in Kontakt stehen. Die Themenzentrierte Interaktion lehrt das Sich-selbst- und Gruppenleiten und fördert ein vertieftes Verstehen von einzelnen Personen, deren Interaktion in der Gruppe, den Sachthemen und den jeweiligen Beziehungen dieser drei Faktoren zum aktuellen »äußeren Umfeld«. Eine TZI-Ausbildung ist also eine zusätzliche Qualifikation und kein Ersatz für eine didaktische, betriebswirtschaftliche oder sozialwissenschaftliche Grundausbildung in den jeweiligen Praxisfeldern, in denen mit TZI gearbeitet werden kann. So ist beispielsweise TZI-Gruppenarbeit in einer betrieblichen Teamsitzung einsetzbar, jedoch nicht ohne fundierte Kenntnisse des jeweiligen Arbeitshintergrundes. Ebenso kann eine TZI-Gruppenleiterin nur dann Physikunterricht mit der Methode der TZI geben, wenn sie auch Physiklehrerin ist.

Methode und Haltung

Die Methode und die Haltung gehören in der TZI untrennbar zusammen. TZI kann nicht rein methodisch verstanden werden, ohne eine entsprechende humanistische Grundhaltung. Diejenigen, die die Methode der TZI auswendig lernen, dogmatisieren und anwenden, ohne dabei aus einer menschenfreundlichen Haltung heraus zu handeln, degradieren TZI zu einer didaktischen Trickkiste. Umgekehrt ist die TZI-Haltung ohne die Kenntnis der Methode ebenso wenig fruchtbar, weil die einseitige Betonung der humanistischen Grundhaltung nicht automatisch das nötige methodische Handwerkszeug hervorbringt. Die Kenntnis von den Grundmustern menschlichen Verhaltens und die Kenntnis von Gruppen- und Leitungsprozessen sind daher genauso wichtig wie eine humanistische Haltung zum Menschen.

> Methode und Haltung gehören in der TZI so untrennbar zusammen wie Form und Gehalt bei einem Kunstwerk oder Leib und Seele beim Menschen.
> *Ruth C. Cohn*

Eine Frau setzt Maßstäbe –
Zur Entwicklung der TZI-Methode

Die Themenzentrierte Interaktion ist aufs engste mit dem Namen Ruth C. Cohn verbunden. Auf dem Hintergrund ihrer Biographie sind die philosophischen, psychologischen und pädagogischen Bezugspunkte der TZI unmittelbar zu verstehen. Daher geben wir im folgenden einige Informationen zum persönlichen Hintergrund Ruth C. Cohns, die für die Entwicklung des TZI-Konzepts ausschlaggebend sind.

1912 in Berlin geboren, wuchs Ruth C. Cohn in einer jüdischen bürgerlichen Familie auf. Ursprünglich wollte sie Lyrikerin werden, doch mit Blick auf die realistischeren Berufsaussichten als Nationalökonomin bzw. Journalistin entschied sie sich zunächst einmal für ein Studium der Volkswirtschaft. Die Begegnung mit der Mutter ihres ersten Freundes – sie war Psychoanalytikerin – war für sie ein Schlüsselerlebnis. Noch am gleichen Abend teilte sie ihren neuen Berufswunsch zu Hause mit und belegte von da an alle entsprechenden Veranstaltungen an der Berliner Universität.

Nach der Machtergreifung der Nationalsozialisten erlebte Ruth C. Cohn 1933 die Anfänge der Judenverfolgung in Berlin mit. Einen Tag vor dem ersten Boykott jüdischer Geschäfte, am 31. März 1933, gelang ihr die Flucht in die Schweiz, wo sie in Zürich ihr Psychologiestudium fortsetzte.

Ihr eigentliches Interesse jedoch galt ihrer psychoanalytischen Ausbildung bei Medard Boss, dem späteren Mitbegründer der Daseinsanalyse. Diese Lehranalyse (sechsmal wöchentlich sechs Jahre lang) bildete die wesentliche Basis für ihre spätere persönliche und berufliche Entwicklung. Eine Spezialerlaubnis ermöglichte ihr darüber hinaus das universitäre Studium der vorklinischen und psychiatrischen Fächer, die für ihre Ausbildung in Psychoanalyse relevant waren. Bereits in dieser Zeit des wachsenden Naziterrors bedauerte sie, daß durch die psychoanalytische Praxis nur einer sehr begrenzten Zahl von zudem häufig privilegierten Menschen geholfen werden kann, und sie suchte nach Möglichkeiten, wie die Erkenntnisse »der Couch« mehr Menschen nützlich gemacht werden konnten. Sie selbst erlebte ihren Aufenthalt in der Schweiz als »schicksalhaftes Geschenk«, wohl wissend, daß es nicht von Dauer sein konnte. Um nicht ausgewiesen zu werden, dehnte Ruth C. Cohn ihren Status als Studentin aus – sie belegte zusätzlich die Fächer Literatur, Pädagogik, Philosophie und Theologie.

1938 heiratete sie ihren langjährigen Lebenspartner Hans Helmut Cohn mit deutsch-jüdischer Abstammung. Die Eheschließung ermöglichte den Schwiegereltern 1939 einen Durchgangsaufenthalt in der Schweiz, wodurch sie der Deportation in ein

Vernichtungslager entgingen. Ruth und Hans Cohn konnten ihren Aufenthaltsstatus in der Schweiz verlängern, da Hans Cohn mittlerweile als Arzt in einem Spital nahe der Grenze zu Deutschland arbeitete. Ärzte waren in der Schweiz rar. Drei Monate nach der Geburt ihrer Tochter Heidi erhielt Ruth C. Cohn am 15. Mai 1940 die Information, die Deutschen hätten die Schweizer Grenze überschritten. Noch während sie zu begreifen versuchte, was passieren würde, wenn sie als Familie mit jüdischer Abstammung den Nazis in die Hände fallen würden, kam die Frau des Spitalverwalters zu ihnen. Sie bot Ruth C. Cohn an, daß ihre 18jährige Tochter die kleine Heidi als ihr eigenes unehelich geborenes Kind ausgeben könnte, um es so zu retten. Für Ruth C. Cohn war diese Nacht, in der das Grauen einerseits und die Verantwortlichkeit fremder Menschen für ein jüdisches Baby andererseits zusammentrafen, das Schlüsselerlebnis ihres Lebens. Noch mehr als fünfzig Jahre später berichtet sie über diesen Moment als den entscheidenden Beginn ihrer Suche nach den humanen Werten.

> Von Anfang an jedoch, seit meinen Erfahrungen mit der Nazizeit, wollte ich einen Weg finden, gesellschaftstherapeutisch zu arbeiten, pädagogisch und politisch.
> *Ruth C. Cohn*

Ein Jahr später konnte die Familie nach komplizierten Immigrationsvorbereitungen in die USA ausreisen.

Es war weiterhin Ruth C. Cohns Wunsch, psychoanalytisch zu arbeiten, daher bat sie um Aufnahme beim New Yorker Psychoanalytischen Institut. Als Nichtmedizinerin wurde sie abgewiesen, statt dessen riet man ihr, analytisch mit Kindern zu arbeiten. Sie bewarb sich daher um eine Lehrerinnenausbildungsstelle am Bankstreet-College für »Progressive Education«. Hier lernte sie eine psychoanalytisch fundierte antiautoritäre Pädagogik kennen, die starken Einfluß auf sie hinterließ.

Ab 1946 praktizierte Ruth C. Cohn in New York in eigener Praxis, zunächst mit Kindern, später auch mit Erwachsenen. Mittlerweile war sie zweifache Mutter und nach der Trennung von ihrem Mann alleinerziehend. Die Sorge um berufliche Anerkennung, ihre angeschlagene Gesundheit, finanzielle Engpässe und die neue familiäre Situation machte die Zeit zu einer ausgesprochen schweren Lebensphase.

In ihrer selbstständigen psychotherapeutischen Arbeit entfernte sich Ruth C. Cohn im Laufe der folgenden Jahre immer weiter von der klassischen Psychoanalyse. Bereits Ende der vierziger Jahre integrierte sie die Elsa-Gindler-Methode in ihre psychoanalytische Arbeit. Diese Methode des bewußten Körpererlebens hatte sie zwanzig Jahre zuvor bei der Elsa-Gindler-Schülerin Carola Speads kennengelernt. Der für uns heute selbstverständliche Hinweis, auf die Sprache des Körpers zu achten, bedeutete in jener Zeit eine tiefgreifende und radikale Veränderung in der psychotherapeutischen Arbeitsweise von Ruth C. Cohn.

Anfang der fünfziger Jahre ergaben sich durch den wachsenden Einfluß der Gruppentherapien in der therapeutischen Arbeit neue Schwerpunkte. Das Fixiertsein auf die defizitären Anteile des Menschen wich einer Sichtweise, in der das positive Potential und dessen Erweiterungsmöglichkeiten betont wurden.

Ruth C. Cohn, die zwischenzeitlich eine Ausbildung in Gruppentherapie absolviert hatte, bezog diese Ansätze in ihre therapeutische Arbeit mit ein und machte die Erfahrung, daß derart geleitete Gruppen in weitaus stärkerem Maße motiviert waren, miteinander zu lernen und zu arbeiten, als dies in herkömmlichen Lehr- und Lerngruppen zu beobachten war.

1955 initiierte Ruth C. Cohn einen Workshop zum Thema »Gegenübertragung« für angehende Analytikerinnen und Analytiker mit dem Ziel, die Übertragungen der Analysierenden auf ihre Patienten zu entdecken und zu bearbeiten. Um den Einstieg in dieses bislang tabuisierte Thema zu erleichtern, berichtete Ruth C. Cohn in ihrer Rolle als Supervisorin in freier Assoziation von einem eigenen Fall und gab damit ihre neutral-abstinente Rolle zugunsten einer partnerschaftlichen Rolle auf. Der später so genannte »Gegenübertragungsworkshop« wurde zum Ausgangspunkt für die Entwicklung der Themenzentrierten Interaktion.

1961 erhielt Ruth C. Cohn eine Einladung zur neu gegründeten American Academy for Psychotherapy (AAP). Vertreterinnen und Vertreter der klassischen und neuen psychotherapeutischen Methoden (z. B. Fritz Perls, Carl Rogers, Alexander Lowen) trafen hier zusammen, um sich auszutauschen und miteinander zu arbeiten. Ruth C. Cohn lernte in diesem Kreis von experimentierfreudigen und progressiven Kollegen die verschiedensten neuen Therapierichtungen theoretisch und praktisch kennen. Viele Anregungen aus dieser Zeit fanden Eingang in ihre therapeutische Arbeit.

Auf dem Hintergrund der politischen Ohnmacht der Psychoanalyse und ihrem Interesse am Aufbau einer humanen Gesellschaft entwickelte Ruth C. Cohn ihre politische Grundhaltung: »Ich glaube an Sozialismus, nicht aber an Gewalt und Diktatur des Proletariats. Ich dachte damals und denke heute, daß Revolutionen, die nur die ökonomischen und politischen Umstände und nicht die Menschen selbst in ihrer Haltung verändern, zwar die Umkehrung von oben/unten und unten/oben bewirken, nicht aber Armut und Ungerechtigkeit selbst. So verändern sich die Namen der Gewaltträger und der Unterdrückten, nicht aber die Phänomene der Gewalt und Hilflosigkeit.«

Mitte der sechziger Jahre kristallisierte sich für Ruth C. Cohn nach vielen Jahren praktischer Arbeit in den Bereichen Pädagogik, Psychologie und Psychotherapie die Grundlage der Themenzentrierten Interaktion heraus. Ein Traum von Ruth C. Cohn spielte dabei eine entscheidende Rolle: »Eines Nachts, (...) träumte ich von einer gleichseitigen Pyramide. Im Aufwachen wurde mir sofort klar, daß ich die Grundlage meiner Arbeit ›erträumt‹ hatte. Die gleichseitige Traumpyramide bedeutete mir: Vier Punkte bestimmen meine Gruppenarbeit. Sie sind alle vier miteinander verbunden und gleich wichtig. Diese Punkte sind:

- die Person, die sich selbst, den anderen und dem Thema zugewendet ist (= Ich);
- die Gruppenmitglieder, die durch die Zuwendung zum Lernstoff und ihre Interaktion zur Gruppe werden (= Wir);
- der Lernstoff, die von der Gruppe behandelte Aufgabe (= Es);
- das Umfeld, das die Gruppe beeinflußt und von ihr beeinflußt wird – also die Umgebung im nächsten und weitesten Sinn (= Globe).

Ich überlegte, daß diese vier Punkte jede Gruppe symbolisieren; das heißt, daß es keine Gruppe gibt, die nicht durch diese vier Punkte definiert wird. Jedoch nirgends – weder in unseren Gruppen noch in der Literatur – fand ich diese Definition der Gruppe. Wichtig aber war mir vor allem die im Traum konzipierte Gleichseitigkeit der Pyramide, was bedeutet, daß die vier Punkte gleich wichtig sind. Und mit dieser Gleichgewichtigkeit von Ich–Wir–Es und Globe war die Gruppenführung mit TZI definiert.«

Diese Grundstruktur der Gruppenarbeit bildet die Basis der TZI und wird seit 1966 in New York und seit 1972 in Europa in Ausbildungsinstituten vermittelt.

Nach 35 Jahren der Emigration betrat Ruth C. Cohn 1968 wieder europäischen Boden – sie nahm am Internationalen Psychotherapeutischen Kongreß in Wien teil, weitere europäische Kongresse folgten. Bis sie 1974 endgültig nach Europa zurückkehrte, führte Ruth C. Cohn ein Leben zwischen zwei Kontinenten. Sie praktizierte weiterhin in den USA, in den Ferien hielt sie Vorträge und leitete Workshops in Themenzentrierter Interaktion.

Auf dem Hasliberg in der Schweiz fand Ruth Cohn eine kleine Wohnung mit einer phantastischen Sicht auf die Berge, von der aus sie die Themenzentrierte Interaktion bis ins hohe Alter durch den Austausch und die Begegnung mit Menschen, durch Projekte, Veröffentlichungen, Workshops und vieles mehr weiter entwickelte und verbreitete.

Mit 75 Jahren schrieb sie den Aufsatz »Angst im Älterwerden«, in dem sie formuliert, wie schwer es ihr fällt zu akzeptieren, auf allen Ebenen Abschied nehmen zu müssen. Mit mittlerweile über 90 Jahren nimmt sie das Leben mit Humor, wenn auch alles viel mehr Zeit braucht, sagt, es gehe ihr den Umständen entsprechend sehr gut und hat noch regen Anteil an den Menschen um sie herum.

Zwei Ehrendoktorwürden (1979 von der Universität Hamburg und 1994 von der Universität Bern) sowie die Verleihung des großen Verdienstkreuzes der Bundesrepublik Deutschland 1994 ehren Ruth C. Cohn und ihre Verdienste um die seelische Entwicklung und Gesunderhaltung der Menschen mit gesellschaftlicher Breitenwirkung.

> Wachsen im Alter ist beides: das »Ich kann es noch« üben und das Verwelken, das »Ich kann es nicht mehr«, zu akzeptieren.
>
> *Ruth C. Cohn*

Von Anfang an hat die Themenzentrierte Interaktion für Ruth C. Cohn eine gesellschaftspolitische Dimension. Ihre Utopie ist die einer humaneren Gesellschaft, zu der die Menschen gelangen können, wenn sie sich ihrer individuellen und sozialen Strukturen bewußt werden und an einer Humanisierung dieser Strukturen arbeiten. In einer derartigen menschenwürdigen Weltordnung ist die Wiederholung einer politischen Katastrophe wie der des Nationalsozialismus denkbar schwieriger.

Angesichts unserer derzeitigen globalen Krisensituationen unterstreicht Ruth C. Cohn die Aktualität und die Wichtigkeit des gesellschaftspolitischen Anliegens für eine pädagogisch-therapeutische Arbeit: »Ich fühle mich heute, in dieser Zeit, so wie ich mich 1932 in Deutschland fühlte, mit dem absoluten Bewußtsein: Wer nicht blind ist, sieht, was auf uns zukommt; und wenn wir jetzt nichts dagegen tun, wird es bald zu spät sein.«

Inge – oder:
Jede Geschichte hat ihre Vorgeschichte

»Ja, Peter«, ich rufe Dich heute abend ganz bestimmt an, das habe ich Dir doch versprochen.« Diesmal gibt sich der Fünfjährige mit der Antwort zufrieden, läßt jedoch seine Mutter nicht aus den Augen, die im Schlafzimmer mit Packen beschäftigt ist. »Du, Mama, wenn Du wiederkommst, bringst Du mir dann auch etwas mit?« Inge, die gerade überlegt, ob sie noch ihr grünes Leinenkleid mitnehmen soll, antwortet geistesabwesend »ja, ja« und atmet erleichtert auf, als es klingelt. »Die Oma, die Oma!« ruft Peter und läuft zur Türe. Inge greift nach der vorbereiteten Tasche für Peter, legt noch sein Kuscheltier obendrauf und folgt ihrem Sohn in den Flur.

Ein flaues Gefühl macht sich in ihrer Magengegend breit. Zum ersten Mal, seit Peter auf der Welt ist, wird sie sich für fast eine Woche von ihm trennen. Ein Gedanke, der ihr plötzlich ganz absurd vorkommt. Inge kämpft mit den Tränen, doch sie will ihre Entscheidung nicht mehr rückgängig machen. Die Kursgebühr ist bereits überwiesen, und der Arbeitgeber hat der Dienstbefreiung zugestimmt. Als erste aus ihrem Mitarbeiterteam an der Volkshochschule hat sie durchsetzen können, daß ihr ein TZI-Kurs als Bildungsurlaub anerkannt wird. Wenn sie jetzt absagt, waren ihre Diskussionen mit dem Chef umsonst, ganz zu schweigen von der Kursgebühr, die sie nun nicht mehr zurückerstattet bekäme. Die Stimme ihrer Mutter reißt sie aus den Gedanken. »Inge, meine Gute, laß Dich erst einmal richtig begrüßen! Müde schaust Du aus, hoffentlich kannst Du Dich in den nächsten Tagen ein bißchen erholen.« »Aber Mutti, ich fahre doch nicht in Urlaub! Ich soll etwas lernen in dem Seminar, zum Ausruhen würde mich doch mein Chef nicht freistellen.« »Na komm, Inge, es wird nichts so heiß gegessen, wie's gekocht wird, genieß die Zeit ohne Peter und freue Dich, daß Du mal was anderes siehst. Übrigens, hast Du auch Peters Badehose eingepackt? Es ist nämlich fürs Wochenende schönes Wetter angesagt.« »Ans Schwimmen gehen habe ich gar nicht gedacht«, erwidert Inge und sucht nach der Badehose. »Ich glaube, sie ist noch bei den Sommersachen ganz oben im Schrank, da müßte ich jetzt alles umräumen.« »Nein, laß mal, so viel Zeit ist nicht mehr, denn ich muß noch den Wochenendeinkauf machen. Außerdem könnte Peter sowieso eine neue Badehose brauchen – ich werde mich darum kümmern. Ich muß jetzt auch wirklich los, wir telefonieren heute abend. Mach's gut!« Peter drückt seiner Mutter noch einen dicken Kuß auf den Mund und verläßt mit seiner Oma die Wohnung.

Inge ist allein. Sie läßt sich auf ihr Bett fallen und zündet sich erst einmal eine Zigarette an. Peter ist bei ihrer Mutter in guten Händen. Er liebt sie, und die

Großeltern haben extra alles so eingerichtet, daß sie sich die ganzen fünf Tage um Peter kümmern können. Eigentlich müßte Inge froh sein, daß alles so gut geklappt hat, und könnte sich bis zu ihrer Abreise noch etwas ausruhen. Doch statt dessen beginnt sie zu grübeln. Wieder einmal wird ihr schmerzlich bewußt, daß sie seit ihrer Scheidung vor knapp einem Jahr sehr allein ist. Im Grunde ihres Herzens kann sie die Trennung von Konstantin immer noch nicht fassen.

Inge drückt ihre Zigarette aus und läßt sich in die Kissen zurückfallen. Vieles in der Wohnung erinnert sie an Konstantin. Genaugenommen hat sich bis auf das Fehlen seiner persönlichen Sachen nur wenig verändert. Die komplette Einrichtung war auf ebendiese Wohnung abgestimmt, und so hatte Konstantin lediglich das Werkzeug, die Stereoanlage und zum Ausgleich für Geschirr und Möbel das Auto übernommen. Inge zündet sich eine neue Zigarette an und schaut sich um. Das Zimmer war zu einer kleinen Oase geworden, mit rankenden Pflanzen am Fenster, stilvollen Drucken an der Wand und einer dezenten Beleuchtung. »Als ich noch mit Konstantin zusammen war«, denkt Inge, »habe ich nur ganz selten geraucht, jetzt ist es zu einer richtigen Gewohnheit geworden«. Früher wäre sie nie auf die Idee gekommen, im Schlafzimmer zu rauchen, dies hätte der vertraulichen Atmosphäre widersprochen, die dieses Zimmer für sie beide ausstrahlte. Mit Wehmut erinnert sich Inge an die vielen schönen Stunden, die sie mit ihrem Mann hier verbrachte. »Es sind jetzt genau vierzehn Monate, die ich alleine lebe«, denkt Inge und steht langsam auf, um ihre restlichen Sachen zu packen. Viel ist nicht mehr zu tun, und so kann sie sich noch in aller Ruhe umziehen. Immer noch in einer nachdenklich-traurigen Stimmung steigt sie wenig später in ihr Auto ein.

Erst die Fahrt durch den dichten Frankfurter Stadtverkehr lenkt sie von ihren Gedanken ab, und nach gut einer Stunde Autofahrt erreicht sie die Tagungsstätte im Odenwald. Inge ist gespannt darauf, wie es ihr hier ergehen wird, und sie freut sich darauf, Genaueres über die Themenzentrierte Interaktion zu erfahren.

Die Menschen stärken, die Sachen klären – Grundlagen der TZI

In diesem Kapitel widmen wir uns zunächst dem Menschenbild der Themenzentrierten Interaktion (Axiome und Postulate) und stellen anschließend die Methodik in ihren einzelnen Elementen vor.

Die Axiome

Das System der TZI basiert auf drei Axiomen. Diese Grundannahmen werden als humanistisch und ganzheitlich charakterisiert, denn sie machen wesentliche menschliche Fragen bewußt und bringen eine wertgebundene Lebens- und Weltauffassung zum Ausdruck. Damit beschreiben die Axiome die grundlegenden Voraussetzungen für eine pädagogische Arbeit und richten sich zugleich gegen die Anwendung von TZI als einer technischen Trickkiste. Die Axiome bieten eine wertgebundene Ausgangsbasis für humanes Handeln, gleichzeitig sind sie als ethische Forderungen richtungweisend.

Die einzelnen Axiome beziehen sich aufeinander, ihre Reihenfolge ist jedoch aus anwendungs- und handlungsbezogenen Gründen nicht auswechselbar.

Im folgenden stellen wir die drei Axiome der TZI im originalgetreuen Wortlaut vor und fügen erläuternde Erklärungen an.

Existentiell-anthropologisches Axiom

»Der Mensch ist eine psycho-biologische Einheit und ein Teil des Universums. Er ist darum gleicherweise autonom und interdependent. Die Autonomie des einzelnen ist um so größer, je mehr er sich seiner Interdependenz mit allen und allem bewußt wird.« In einer Ergänzung zum ersten Axiom heißt es weiter: *»Menschliche Erfahrungen, Verhalten und Kommunikation unterliegen interaktionellen und universellen Gesetzen. Geschehnisse sind keine isolierten Begebenheiten, sondern bedingen einander in Vergangenheit, Gegenwart und Zukunft.«*

Das erste Axiom thematisiert zwei Grundaspekte des menschlichen Seins. Zum einen die Eigenständigkeit und Entscheidungsfreiheit des Menschen, zum anderen seine Verbundenheit mit den Menschen und darüber hinaus mit der gesamten Schöpfung. Die Wechselwirkung von Autonomie (Selbst- und Eigenständigkeit) und Interdependenz (Abhängigkeit und Verbundenheit) gehört existentiell zum menschlichen Dasein. Das Verständnis für die Interdependenz und Autonomie des Menschen wächst in dem Maße, wie es gelingt, die reale Situation – einschließlich der Fähigkeiten und Abhängigkeiten der Teilnehmenden einer Gruppe – bewußt wahrzunehmen. Oder anders ausgedrückt: Je klarer die Abhängigkeiten von den äußeren Gegebenheiten und den inneren Mustern, Einstellungen und Haltungen erkannt und begriffen werden, desto größer wird die Entscheidungs- und Einflußmöglichkeit. Es ist somit eine der wesentlichen Aufgaben für TZI-Gruppen, innerhalb der sozialen, zeitlichen und universalen Bezüge die eigene existentielle Situation zu entdecken.

Das Axiom »Autonomie und Interdependenz« beinhaltet auch die verschiedenen Zeitdimensionen. Die Ereignisse des Lebens sind nicht isoliert zu betrachten, sondern bedingen einander in Vergangenheit, Gegenwart und Zukunft. Das Hier-und-Jetzt der Gegenwart steht zwar im Vordergrund, aber es soll nicht einseitig überbetont werden. Vielmehr ist es stets im Zusammenhang mit den Erfahrungen der Vergangenheit und den Möglichkeiten der Zukunft zu sehen.

Ethisch-soziales Axiom

»Ehrfurcht gebührt allem Lebendigen und seinem Wachstum. Respekt vor dem Wachstum bedingt bewertende Entscheidungen. Das Humane ist wertvoll, Inhumanes ist wertbedrohend.«

In diesem Axiom geht es um die Wert- und Sinnhaftigkeit des menschlichen Lebens und Handelns. Betrachten wir unsere Ausgangslage, so wird deutlich, daß ethische Werte der Menschlichkeit weder in der Geschichte noch in der Gegenwart genügend Wirkungskraft hatten, um den destruktiven gesellschaftlichen Kräften entgegenzuwirken. Es ist hier nicht der Ort einer detaillierten Analyse der geschichtlichen Entwicklung unserer Gesellschaft. Ein Aspekt soll deshalb genügen, um die Vorherrschaft destruktiver wirtschaftlicher und politischer Kräfte – wie sie sich im letzten Jahrhundert im Nationalsozialismus, aber auch in der atomaren und ökologischen Bedrohung zeigen – über ethisch-humanistische Werte zu charakterisieren: In unserer gesamten abendländischen Kultur werden Intellekt und Verstand einseitig gefördert, hingegen die emotionalen und körperbewegten Seiten des Menschen vernachlässigt und als nebensächlich betrachtet.

Das zweite Axiom erweist sich angesichts der angedeuteten Krisensituation als besonders bedeutsam, da es die Hypothese eines Werte-Sinns beinhaltet. Der Werte-Sinn dient der Bewußtmachung und der Förderung des Lebens und seiner universalen Verbundenheit und ist eine menschliche Fähigkeit, die eingeübt und – wie andere Sinne auch – entwickelt werden kann. Dies kann durch die Förderung der Gefühlsseiten geschehen, durch das Hineinwachsen in eine wertschätzende Umwelt und durch die ständige

> Das Verächtlichmachen von Wissen und Denken ist nicht weniger destruktiv als das Herabschauen auf Gefühle und Sensitivität.
> *Ruth C. Cohn*

Auseinandersetzung um wertvolles und wertbedrohendes Handeln. Die Ganzheit des Menschen wird betont, es geht um die dynamische Balance zwischen linker und rechter Gehirnhemisphäre. Anerkennung und Einübung brauchen sowohl die emotionalen als auch die intellektuellen Seiten des Menschen – und vielleicht kann durch die Entwicklung und Förderung des Werte-Sinns ein Gegengewicht gegen die zunehmende Zerstörung der Welt geschaffen werden.

Pragmatisch-politisches Axiom

»Freie Entscheidung geschieht innerhalb bedingender innerer und äußerer Grenzen. Erweiterung dieser Grenzen ist möglich. Freiheit im Entscheiden ist größer, wenn wir gesund, intelligent, materiell gesichert und geistig gereift sind, als wenn wir krank, beschränkt oder arm sind oder unter Gewalt und mangelnder Reife leiden.« Die Ergänzung zu dem Axiom lautet: »Bewußtsein unserer universellen Interdependenz ist die Grundlage humaner Verantwortung.«

Dieses Axiom bringt zum Ausdruck, daß es in jeder Situation innere und äußere Grenzen gibt, die aber – weil sie zeitgeschichtlichen Charakter haben – verwandelt und verändert werden können. So mögen menschliche Reaktionen auf eine bestehende Situation zwar unterschiedlich sein, doch gleichgültig wie sie aussehen, sie basieren immer auf einer Entscheidung. Der Mensch kann seiner Freiheit und Verantwortlichkeit nicht entkommen, weil er sich nicht nicht verhalten und nicht nicht entscheiden kann. Ein Arbeitnehmer beispielsweise, der unter inhumanen Arbeitsbedingungen leidet, kann sich dafür entscheiden, diese hinzunehmen. Damit unterstützt er die bestehenden Verhältnisse. Er kann aber auch die Situation als Herausforderung annehmen, seinen Freiheitsspielraum ausloten, ihn entsprechend nutzen und auf diese Weise sich selbst und die Mitwelt verändern, indem er sich z. B. traut, ein offenes Gespräch mit seinem Chef zu führen, sich Unterstützung bei seinen Kollegen holt oder sich gewerkschaftlich organisiert.

Mit der Bewußtheit menschlicher Entscheidungsfähigkeiten und ihrer Grenzen ist eine wesentliche Voraussetzung für gesellschaftspädagogische Arbeit gegeben. Der Mensch ist weder allmächtig noch ohnmächtig, er ist partiell mächtig. Diese partielle Mächtigkeit gilt es in jeder neuen persönlichen, politischen und sozialen Situation zu erkennen und zu nutzen.

> Ich bin nicht allmächtig, ich bin nicht ohnmächtig, ich bin partiell mächtig.
> *Ruth C. Cohn*

Die Postulate

Die Postulate beinhalten Forderungen, die direkt aus den humanistischen Axiomen der TZI abgeleitet wurden. Oder anders ausgedrückt: In den Postulaten ist formuliert, wie die Axiome im alltäglichen gesellschaftlichen Leben zum Ausdruck kommen. Sie fordern auf, die Realität und nicht beliebige Dogmen als Autorität anzuerkennen; Menschen sollen ermutigt werden, Verantwortung für sich zu übernehmen, um sich selbst »leiten« zu können. Insbesondere in Gruppensituationen existiert oft die unausgesprochene Erwartungshaltung, allein die offiziellen Gruppenleiterinnen und Gruppenleiter seien für das Wohlbefinden aller in der Gruppe verantwortlich. Die Postulate durchkreuzen diese Erwartungshaltung und stellen klar, daß jede und jeder einzelne verantwortlich ist für das Geben und Nehmen in der Interaktion mit allen anderen. Jedes Gruppenmitglied wird in seiner Eigenständigkeit (Autonomie) und seiner Verbundenheit (Interdependenz) angesprochen.

Prinzip der Selbstverantwortung – das erste Postulat

»Sei dein eigener Chairman/Chairwoman, sei die Chairperson deiner selbst. Mache dir deine innere und äußere Wirklichkeit bewußt. Benutze deine Sinne, Gefühle, gedanklichen Fähigkeiten und entscheide dich verantwortlich von deiner eigenen Perspektive her.«

Das im amerikanischen Sprachgebrauch eindeutige Wort »Chairman« kann nicht mit einem Wort ins Deutsche übersetzt werden. Das Chairperson-Postulat meint die Fähigkeit des Menschen, sich selbst zu leiten, für die eigenen Interessen und das persönliche Wohlergehen Verantwortung zu übernehmen und dabei gleichzeitig die Bedürfnisse der anderen sowie die äußeren Gegebenheiten im Blick zu haben. Wir sprechen daher vom »Prinzip der Selbstverantwortung«, das in folgenden fünf Schritten erlebbar wird.

Zunächst geht es darum, den Blick auf die innere Wirklichkeit zu richten, um so die eigenen Gefühle, Bedürfnisse und Bestrebungen wahrzunehmen und um sich gleichzeitig der körperlichen Empfindungen, der Intuition, Phantasien und Wertungen der eigenen Person bewußtzuwerden. Nicht was »man« sagt, soll der Ausgangspunkt des eigenen Denkens, Fühlens und Handelns sein, sondern was jeder Mensch selber denkt und fühlt. Es geht um die autonomen Anteile der Person, hilfreich sind Fragen wie: Was denke ich, was fühle ich, was empfinde ich körperlich, welche Phantasien, Träume und Ziele habe ich, wie bewerte ich meine Situation, was sagt mir meine Intuition?

Der zweite Schritt des Postulats lenkt den Blick auf die äußere Wirklichkeit. Mit den eigenen Bedürfnissen befindet sich jeder Mensch immer in einem Kontext. Menschliche Beziehungen, eine bestimmte Situation, persönliche Lebensumstände, das politische, ökonomische und ökologische Lebensumfeld rahmen die persönlichen Bedürfnisse ein. Der Blick nach außen ermöglicht das bewußte Wahrnehmen des bestehenden Umfeldes einschließlich der Realisierung aller Abhängigkeiten. Hier geht es um die interdependenten Anteile der Person, hilfreich sind Fragen wie: Welche menschlichen Beziehungen, welche Lebensumstände, welche politischen, ökologischen und ökonomischen Faktoren stehen im Zusammenhang mit meiner persönlichen Situation?

Im dritten Schritt geht es ums Abwägen der verschiedenen Entscheidungsmöglichkeiten. In den meisten Situationen gibt es die Wahlfreiheit zwischen drei verschiedenen Möglichkeiten: Ich kann eine Situation akzeptieren, ich kann sie verändern oder ich kann sie verlassen (Love it, leave it, change it).

akzeptieren

verändern   *verlassen*

Folgende Fragen sind hier hilfreich: Welche Alternativen gibt es? Welche positiven und negativen Konsequenzen zieht die jeweilige Entscheidung nach sich? Was hindert mich, eine klare Entscheidung zu treffen? Was gewinne ich durch meine Entscheidung?

Erst der vierte Schritt des Postulats fordert zu einer Entscheidung auf. Sich entscheiden heißt, eine Wahl für etwas zu treffen und gleichzeitig viele andere Entscheidungsmöglichkeiten zu verwerfen. Zum Ja-Sagen gehört das Nein-Sagen. Und sollten sich einmal die Umstände nicht verändern lassen, so ist es immer noch möglich, zwischen einer aktiv-akzeptierenden und passiv-klagenden Einstellung zu wählen. Entscheiden meint außerdem: Jeder Mensch ist in jedem Augenblick seines Lebens frei, sich neu zu entscheiden. Hilfreiche Fragen sind: Wie entscheide ich mich jetzt? Wozu sage ich ja, wozu sage ich nein?

Im fünften Schritt übernimmt die Person die Verantwortung für die getroffene Entscheidung und akzeptiert alle Konsequenzen, die aus der Entscheidung resultieren. Dies gilt übrigens auch für Konsequenzen, die sich aus einer unterlassenen Handlung ergeben.

Eine Chairperson kann immer nur für die eigenen Handlungen und Nicht-Handlungen Verantwortung übernehmen, es sei denn, eine andere Person verliert ihr Bewußtsein (z. B. bei einem Unfall) oder kann die Verantwortung für sich nicht oder erst teilweise übernehmen (z. B. Kinder). Kein Mensch kann einem anderen Menschen eine Entscheidung abnehmen, und jede Entscheidung hat Konsequenzen. Daher sind die fünf Schritte des Chairperson-Postulats wichtig. Der Blick auf die eigene Person unterstützt das Bedürfnis nach Autonomie und Ich-Stärkung jedes Menschen und erleichtert eine unvoreingenommene Wahrnehmung der anderen sowie eine klarere Einschätzung der jeweiligen Situation. So können auch die herangetragenen Erwartungen besser akzeptiert werden, und es liegt dann allein in der eigenen verantwortlichen Entscheidung, ob diese Erwartungen erfüllt werden oder nicht. Das Chairperson-Postulat fordert auf, in der Bewußtheit seiner selbst, der anderen und der gemeinsamen Aufgabe Initiative zu ergreifen, Entscheidungen zu treffen und die Verantwortung dafür zu übernehmen.

> Verantworte Dein Tun und Dein Lassen – privat und gesellschaftlich.
> *Ruth C. Cohn*

Ermutigung zur Selbstverantwortung

Mit dem Aussprechen des Chairperson-Postulats wird scheinbar eine paradoxe Situation geschaffen, denn das Postulat fordert zu einem Verhalten auf, das eigentlich aus der einzelnen Person erwachsen muß. Solch ein mündiges und freies Verhalten müssen die meisten Menschen aber erst einüben, denn sie haben nicht oder nur in unzureichendem Maße gelernt, für sich selbst zu sorgen und die Verantwortung zu übernehmen. So ist es weit verbreitet, lieber unter unangenehmen Situationen zu leiden, als diese zu verändern.

Für den Gruppenprozeß ist es daher entscheidend, wie das Chairperson-Postulat eingeführt wird. Als Vorwurf ausgesprochen (»Warum bist Du nicht für Dich verantwortlich?«) oder als Anspruch erhoben (»Jetzt sei für Dich verantwortlich!«), kann es hemmend und einengend wirken; einen befreienden Aspekt hat das Postulat erst, wenn es als Einladung verstanden werden kann (»Werde, der/die Du schon bist!«).

Das Prinzip der Selbstverantwortung ist in einem Text von Ulrich Schaffer kurz und prägnant zusammengefaßt:

»Du,
nicht irgendeine unfaßbare Kraft,
entscheidest über dein Schicksal.
Du bestimmst viel von dem, was dir geschieht
und du hast die Wahl, wie du etwas sehen willst.
Du trägst die Verantwortung für dein Glück
und es hilft dir nicht weiter,
andere für dein Unglück zu beschuldigen.

Der unbewußte Mensch wird gelebt,
der wache entscheidet selbst
und läßt sich nicht vom Druck
der Umstände bestimmen.
Der Mensch, der entscheidet,
wird auch durch seine Grenzen nicht leblos.
Er ist auch in Grenzen nicht gefangen.
Er findet Möglichkeiten,
sein Leben schöpferisch zu gestalten.«

Prinzip der Arbeitsfähigkeit – das zweite Postulat

»*Störungen und Betroffenheiten haben Vorrang. Beachte Hindernisse auf deinem Weg, deine eigenen und die von anderen; ohne ihre Lösung wird Wachstum verhindert oder erschwert.*«

Der zentrale Begriff des zweiten Postulats ist das Wort »Störung«, das wir zunächst einmal genauer unter die Lupe nehmen. »Störung« hat in unserem Sprachgebrauch einen deutlich negativen Beigeschmack, da wir uns nur ungerne bei der Umsetzung unserer Vorhaben »stören« lassen. Was wir geplant haben, wollen wir ausführen, alles, was dazwischenkommt, erleben und beurteilen wir daher als hinderlich. Beim genaueren Hinsehen stellt sich die vermeintliche »Störung« oft genug als wichtiger Hinweis auf einen Aspekt heraus, den wir bislang noch nicht gesehen bzw. den wir noch nicht verstanden haben. Im nachhinein sind wir manchmal sogar dankbar für den Umweg, den die »Störung« ausgelöst hat.

Um deutlich zu machen, daß wir meist viel zu schnell eine unerwartete Situation negativ beurteilen, die sich im nachhinein möglicherweise als positiv herausstellt, erzählen wir in unserer Gruppenarbeit gerne folgendes chinesische Märchen:

»In einem chinesischen Dorfe lebte ein alter Mann, der ein wunderschönes weißes Pferd besaß. Darum beneideten ihn selbst die Fürsten. Der Greis lebte in ärmlichen Verhältnissen, doch sein Pferd verkaufte er nicht, weil er es als Freund betrachtete. Als das Pferd eines Morgens verschwunden war, erzählte man sich im ganzen Dorf: »Schon immer haben wir gewußt, daß dieses Pferd eines Tages gestohlen würde. Welch ein Unglück für diesen alten Mann!« So weit dürft ihr nicht gehen«, erwiderte der alte Mann. »Richtig ist, daß das Pferd nicht mehr in seinem Stall ist, alles andere ist Urteil. Niemand weiß, ob dies ein Unglück ist oder ein Segen.«

Nach zwei Wochen kehrte der Schimmel, der nur in die Wildnis ausgebrochen war, mit einer Schar wilder Pferde zurück. »Du hast recht gehabt, alter Mann«, sprach das ganze Dorf, »es war ein Segen, kein Unglück!« Darauf erwiderte der Greis: »Ihr geht wieder zu weit. Tatsache ist nur, daß das Pferd zurückgekehrt ist.«

Der alte Mann hatte einen Sohn, der nun mit diesen Pferden zu arbeiten begann. Doch bereits nach einigen Tagen stürzte er von einem Pferd und brach sich beide Beine. Im Dorf sprach man nun: »Alter Mann, du hattest recht, es war ein Unglück, denn dein einziger Sohn, der dich im Alter versorgen könnte, kann nun seine Beine nicht mehr gebrauchen.« Darauf antwortete der Mann: »Ihr geht wieder zu weit. Sagt doch einfach, daß sich mein Sohn die Beine gebrochen hat. Wer kann denn wissen, ob dies ein Unheil ist oder ein Segen?«

Bald darauf brach ein Krieg im Lande aus. Alle

jungen Männer wurden in die Armee eingezogen. Einzig der Sohn des alten Mannes blieb daheim, weil er ein Krüppel war. Die Bewohner des Dorfes meinten: »Der Unfall war ein Segen, du hattest recht.« Darauf entgegnete der alte Mann: »Warum seid ihr vom Urteilen so besessen? Richtig ist nur, daß eure Söhne ins Heer eingezogen wurden, mein Sohn jedoch nicht. Ob dies ein Segen oder ein Unglück ist, wer weiß?«

Störungen in der Gruppe

Langeweile, Abneigung, Vorurteile, Ärger, Unkonzentriertheit, Irritation, Blockaden, Idealisierung, körperliche Schmerzen, Müdigkeit, Sehnsucht, Albernheit, aber auch Informationen von außen (z. B. SMS, e-Mail, Handy, Fernsehen, Zeitung) oder ungünstige Rahmenbedingungen wie Hitze, Kälte, Baugeräusche, laute Nachbargruppen – dies alles sind Beispiele für sogenannte Störungen in einer Gruppe. Sie lenken die Aufmerksamkeit einzelner oder der Gruppe von der vereinbarten Aufgabe ab und behindern das geplante Vorhaben.

Störungen sind keinesfalls Ausnahmesituationen des Lebens, und sie sind auch nicht vermeidbar. »Störungen« sind ein selbstverständlicher Bestandteil des Lebens, denn wo Menschen miteinander zu tun haben, gibt es immer beides: Verstehen und Befremden, Begeisterung und Langeweile, Nähe und Distanz etc. Eine Begegnung zwischen Menschen ist daher nur bedingt planbar und beeinflußbar. Realität ist: Die Lebendigkeit von Menschen kann uns in jedem Moment neu überraschen!

Umgang mit Störungen

Das Störungspostulat besagt, daß »Störungen« sich immer ihr Recht verschaffen, egal ob Teilnehmende und Leitende dies wollen. »Störungen« fragen nicht nach Erlaubnis, sie haben de facto Vorrang. Daher geht es darum, sie als Realität der Menschen in der konkreten Situation ernst zu nehmen, ohne sie zu bewerten.

Lebendiges Miteinander-Lernen kann nur erreicht werden, wenn sich alle Teilnehmenden auf das Sachanliegen und den Gruppenprozeß konzentrieren können. Das gemeinsame Lernen wird aber bereits dann verhindert, wenn ein Gruppenmitglied – aus welchen Gründen auch immer – nicht bei der Sache ist. Diese Person ist der Gruppe als Gruppenmitglied verlorengegangen, d. h. sie kann ihre Energie der Gruppe nicht mehr zur Verfügung stellen. Oft reicht schon das Aussprechen der Aufmerksamkeitsverschiebung (z. B. Langeweile, Ärger, Freude über ein privates Erlebnis, Konflikte mit anderen, innere Blockade) aus, damit die betreffende Person die »Störung« hinter sich lassen kann

> Störungen und Betroffenheiten haben Vorrang, ob wir es wollen oder nicht! Es kommt nur darauf an, wie wir mit ihnen umgehen – darin liegt ein Teil unserer Freiheit.
> *Ruth C. Cohn*

und bereit ist, sich wieder in den Gruppenprozeß einzubringen.

Es kommt aber auch vor, daß die »Störung« unmittelbar mit der Gruppensituation zu tun hat. Es geht dann darum, die »Störung« so weit zu bearbeiten, bis die Person sich wieder voll auf die gemeinsame Aufgabe einlassen kann. Die Bearbeitung einer »Störung« nimmt unter Umständen einiges an Zeit in Anspruch, die der Gruppe für das weitere Vorankommen mit dem Sachthema auf den ersten Blick fehlt. Tatsächlich ist diese Zeit nicht »vertan«, denn erfahrungsgemäß arbeitet die Gruppe nach der Offenlegung und Beseitigung einer Störung um so intensiver zusammen. Wird jedoch versucht, eine Störung zu schnell abzuhandeln oder gar zu vertuschen, beeinträchtigt dies den gemeinsamen Lernprozeß der Gruppe nachhaltig. Die Störung schwelt im verborgenen weiter und bindet zunehmend die Energie der Gruppenmitglieder. Auf lange Sicht führt dies zu einem Stillstand lebendiger Gruppenarbeit: Nach außen mag noch die Illusion einer Arbeits- oder Lerngruppe aufrechterhalten sein, tatsächlich haben sich die Gruppenmitglieder ausgeklinkt, sie sind innerlich nicht mehr bei der Sache, lernen nichts mehr und sehnen nur noch das Ende der Veranstaltung herbei.

Das Prinzip der Arbeitsfähigkeit ermutigt die Teilnehmenden einer Gruppe, das ernst zu nehmen, was sie gerade erleben. Genaugenommen gibt es nämlich keine »Störungen«, sondern lediglich menschliche Reaktionen, die ich zum gegenwärtigen Moment noch nicht verstehe. Die Aufforderung an die Teilnehmenden lautet daher: »Unterbrich jederzeit das Geschehen, wenn Du nicht wirklich teilnehmen kannst, wenn Du gelangweilt, ärgerlich oder in einer anderen Form unkonzentriert und abgelenkt bist.«

Für die Leitenden besteht die Herausforderung darin, jeweils mit dem offen und flexibel umzugehen, was sich jenseits aller Planung aktuell in der Gruppe ereignet. Dem Raum zu geben, was unerwartet geschieht, ist für die meisten Leitenden keine Selbstverständlichkeit. Sie identifizieren sich meist in viel zu starker Weise mit ihren Vorbereitungen und stehen außerdem häufig noch unter dem Druck, einen Stoffplan erfüllen zu sollen.

Ein derart konstruktiver Umgang mit Störungen und Betroffenheiten, wie die TZI ihn anstrebt, ist für die meisten Menschen neu und ungewohnt. Es bedarf daher kontinuierlicher Ermutigung, Störungen als selbstverständlichen Bestandteil menschlichen Umgangs zu akzeptieren, und wiederholter Begleitung, den adäquaten Umgang mit ihnen einzuüben.

Die Kommunikationshilfen

Aus den Axiomen und Postulaten sind verschiedene Kommunikationshilfen abgeleitet, die Gespräche und Gruppendiskussionen erleichtern und fördern können. Die Kommunikationshilfen beziehen sich auf erhöhte Aufmerksamkeit im Selbst- und Leitungsstil und sind darauf ausgerichtet, die humanistische Grundeinstellung der TZI erfahrbar zu machen. Wenn die Kommunikationshilfen von den Gruppenleitenden situationsgerecht und verstehbar eingeführt werden, kann die Kooperationsfähigkeit der Gruppe durch die Beachtung dieser Kommunikationshilfen unterstützt werden. Für den Gruppenprozeß sind sie meist zu Beginn wichtiger als für den weiteren Verlauf.

Angebote statt Gebote
Die Kommunikationshilfen sind als Angebote und nicht als dogmatische Gesetze zu verstehen. Es führt zu einem falschen Verständnis von TZI, wenn Gruppenleitende die Anwendung und Einhaltung der Kommunikationshilfen als verbindliche Gruppennorm vorschreiben.

Die Anzahl der Kommunikationshilfen ist nicht festgelegt, und ihre Formulierung ist an keine verbindliche Form gebunden; oft ist es sogar förderlich, die Kommunikationshilfen der jeweiligen Gruppensprache und Gruppensituation anzupassen.

Nachfolgend nennen und erläutern wir die acht gängigsten Kommunikationshilfen:

- *»Vertrete dich selbst in Deinen Aussagen; sprich per ICH und nicht per WIR oder per MAN.«*

Für viele Menschen sind konkrete Ich-Aussagen schwierig, und erst allmählich lernen sie, die volle

Verantwortung für das zu übernehmen, was sie sagen. Die Kommunikationshilfe ermutigt, sich nicht hinter verallgemeinernden Wendungen zu verstecken, sondern selbstverantwortliche Aussagen zu machen. In diesen Zusammenhang gehört auch der Hinweis, die Sätze mit ICH statt mit DU oder SIE zu beginnen.

- *»Wenn du eine Frage stellst, sage, warum du fragst und was deine Frage für dich bedeutet. Sage dich selbst aus und vermeide das Interview.«*

Für eine ausgewogene Kommunikation sind persönliche Aussagen förderlicher als Fragesätze. Fragen sind oft Vermeidungsspiele, um die eigenen Ansichten, Meinungen und Erfahrungen nicht offen aussprechen zu müssen. Eine Aussage dagegen regt andere Teilnehmende auch zu eigenen Aussagen an, und ein direkter persönlicher und sachlicher Austausch kann leichter möglich werden. Bei authentischen Informationsfragen ist es hilfreich, die Gründe für den zugrunde liegenden Informationswunsch (Warum und wozu brauche ich diese Information?) offenzulegen.

- *»Halte dich mit Interpretationen von anderen so lange wie möglich zurück. Sprich statt dessen deine persönlichen Reaktionen aus.«*

Hinter dieser Kommunikationshilfe steckt die Aufforderung, nur dann das Verhalten anderer Teilnehmerinnen und Teilnehmer zu interpretieren, wenn diese ausdrücklich darum gebeten haben, beispielsweise in einer gewünschten Rückmeldung (Feedback-Runde). Unerwünschte Interpretationen bringen das Gegenüber meist in eine defensive Haltung und rufen Abwehr hervor; beides hemmt eine partnerschaftliche Auseinandersetzung. Darüber hinaus gilt: »Wenn du schon Aussagen über andere oder Beobachtungen über Personen, Dinge und Sachverhalte außerhalb deiner selbst mitteilen möchtest, gib stets den Zusammenhang mit dir selbst bekannt, soweit er dir verfügbar ist.«

- *»Wenn mehr als einer gleichzeitig sprechen will, verständigt euch in Stichworten, über was ihr zu sprechen beabsichtigt.«*
Bei einem engagierten Gespräch kann es leicht geschehen, daß mehrere Personen gleichzeitig sprechen wollen. Die Gruppenmitglieder – und nicht die Leitenden – treffen dann die Entscheidung, wer im Augenblick zuerst redet.

Da Seitengespräche ein aufmerksames Zuhören und Reden verhindern und außerdem oft ein Anzeichen für eine schwierige Gruppensituation sind, lautet ein ergänzender Hinweis: »Seitengespräche haben Vorrang. Sie stören und sind meist wichtig. Sie würden nicht geschehen, wenn sie nicht wichtig wären (Vielleicht wollt ihr uns erzählen, was ihr miteinander besprecht?).«

- *»Sei authentisch und selektiv in deiner Kommunikation. Mache dir bewußt, was du denkst, fühlst und glaubst, und überdenke vorher, was du sagst und tust.«*

Selektive Authentizität bedeutet, daß alles, was in einer TZI-Gruppe gesagt wird, ehrlich sein soll, was jedoch nicht bedeutet, daß auch alles gesagt werden muß.

Diese realistische Offenheit beachtet die Tragfähigkeit und Verletzlichkeit von Teilnehmenden und ist ein Gegengewicht zu dem häufig undifferenzierten und dogmatischen Anspruch vieler Selbsterfahrungsgruppen.

> Takt und Timing gehören zur guten Kommunikation in zwischenmenschlichen Beziehungen. Echtheit und Vorsichtigkeit widersprechen sich nicht. Das bedeutet: selektiv authentisch zu sein.
> *Ruth C. Cohn*

- *»Werde wach für deine Gefühle. Sie gehören zu deinem Wert und zu deiner Wichtigkeit. Sie sind gültig für dich und deinen jeweiligen Augenblick. Sie sind deine Energiespender.«*

Ein vertrauensvolles Klima in einer TZI-Gruppe wird gefördert, wenn die Teilnehmenden nicht nur auf ihre Gedanken und Äußerungen achten, sondern auch ihre Gefühle und aufsteigenden Impulse wahrnehmen und mitteilen. Begeisterung, Sympathie und Freude gehören genauso zur gemeinsamen Sache wie Ärger, Wut, Angst und Langeweile.

- *»Beobachte Signale aus deiner Körpersphäre, und beobachte diese auch bei anderen Teilnehmenden.«*

Mit dieser Kommunikationshilfe wird die Gleichgewichtigkeit von Körper- und Wortsprache zum Ausdruck gebracht. Weil unsere Erfahrungen als Gefühle durch unseren Körper hindurchgehen, sind Körperempfindungen Hinweise aus unbewußten und tieferen Gefühlsschichten. Körpersignale sind unmittelbarer und daher authentischer als das gesprochene Wort und können einen wertvollen Beitrag zum Thema leisten.

- *»Wenn du willst (nicht: wenn du gerade Laune dazu hast), durchbrich alle diese Regeln!«*

Mit dieser »Regel« wird noch einmal die Bedeutung und die Wirksamkeit von Kommunikationshilfen in Frage gestellt. Diese sind nur dann sinnvoll, wenn sie das Eigenpotential der Gruppenteilnehmerinnen und -teilnehmer zur Entfaltung bringen und die Kooperationsfähigkeit einer Gruppe verbessern; für alle Kommunikationshilfen gilt daher, daß sie als freundliche Aufforderung und Ermutigung angesehen werden sollen, nicht aber als ein Dogma.

Das Arbeitsprinzip der dynamischen Balance

Das Konzept der dynamischen Balance ist das zentrale Arbeitsprinzip der TZI. Kurz gefaßt besagt es, daß eine Gruppe nicht nur auf ein Sachanliegen zentriert arbeitet, sondern in gleicher und möglichst ausgewogener Weise auch die einzelnen Personen, die Gruppe und das Umfeld mit einbezieht. Hinter dieser Arbeitsweise steht ein humanistisch-ganzheitliches Grundprinzip, das die Gleichgewichtigkeit – die gleiche Wichtigkeit – der vier Faktoren »Ich«, »Wir«, »Es« und »Globe« betont. Jede Gruppeninteraktion enthält diese vier Faktoren:

1. das Ich, d. h. die einzelne Person in einer Gruppe und ihr Anliegen,
2. das Wir, d. h. die Interaktion einer Gruppe untereinander,
3. das Es, d. h. das Sachanliegen, der Lernstoff oder die Aufgabe einer Gruppe,
4. der Globe, d. h. das nahe und ferne Umfeld einer Gruppe.

Die Aufgabe der Gruppenleitenden – und in gewissem Maße auch der Gruppenmitglieder – besteht nun darin, immer den Faktor des Dreiecks, der gerade am wenigsten zur Geltung kommt, in den Vordergrund zu rücken, um die Balance zwischen den vier Faktoren immer wieder neu herzustellen. Wenn beispielsweise eine Gruppe einseitig auf der Beziehungsebene arbeitet, können die Gruppenleitenden die Gleichgewichtigkeit der Ich-Wir-Es-Faktoren im Globe erreichen,

> Die Anerkennung und Förderung der Gleichgewichtigkeit der Ich-Wir-Es-Faktoren im Globe ist die Basis der TZI-Gruppenarbeit und -Leitung.
>
> *Ruth C. Cohn*

indem sie das Sachthema in den Vordergrund bringen. Wenn in einem anderen Fall das soziale Gefüge der Gruppe zu zerfallen droht, kann die Balance beispielsweise durch das Verfahren des »Blitzlichts« wiederhergestellt werden. Bei einem »Blitzlicht« regt die Leitungsperson die Teilnehmenden an, nacheinander in kurzer und komprimierter Form zu sagen, wo sie sich mit ihren Gefühlen und Gedanken befinden und was sie in diesem Augenblick wollen. Dabei kann der Schwerpunkt auf das subjektive Erleben (Ich-orientiertes Blitzlicht), auf das momentane Gefühl zu den anderen Teilnehmenden (Wir-orientiertes Blitzlicht), auf den Bezug zum Lernstoff (Es-orientiertes Blitzlicht) oder auf den Bezug zum Umfeld (Globe-orientiertes Blitzlicht) gelegt werden.

Das Prinzip der dynamischen Balance ist sehr anschaulich am TZI-Symbol, dem gleichseitigen Dreieck im Kreis, nachvollziehbar.

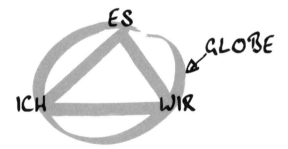

Die drei Eckpunkte (Ich, Wir, Es), fügen sich in den Kreis (Globe) ein. Die dynamische Balance, die in der Graphik so bestechend einfach dargestellt wird, ist in der Realität nicht statisch. Sie muß im Gruppenverlauf immer wieder neu erarbeitet werden. Es geht um die Balance zwischen Sach- und Beziehungsebene, Aktivität und Ruhe, Geben und Nehmen, Nähe und Distanz, die Balance zwischen physischen, emotionalen, intellektuellen und spirituellen Bedürfnissen.

Das Prinzip der dynamischen Balance macht die Notwendigkeit bewußt, Gegenpole einzubeziehen. Gegenpole sind nicht als Widersprüche, sondern als Spannungspole zu betrachten, die aufeinander bezogen werden müssen, sich also gegenseitig ergänzen.

Dem abendländischen Dualismus, der im »Entweder-Oder« denkt, setzt das pädagogische TZI-Modell ein »Sowohl-als-Auch« entgegen. Diese systemische Sichtweise hat nicht nur starke Parallelen zur chinesischen Philosophie des Taoismus, der in jedem Pol (Yin und Yang) zugleich den anderen Pol keimen sieht und der das Leben als zyklischen Wandel zwischen diesen Polen betrachtet; es steht auch im Zusammenhang mit dem neuen holistischen (ganzheitlichen) Weltbild, wie es unter anderem die Frauen- und Männerbewegung, die Ökologie- und Friedensbewegung und die Humanistische Psychologie und Pädagogik entwickeln.

Faktoren der Interaktion

Im folgenden stellen wir die vier Interaktionsfaktoren noch einmal etwas ausführlicher vor, denn die inhaltliche Bedeutung von »Ich«, »Wir«, »Es« und »Globe« ist Dreh- und Angelpunkt der theoretischen Grundannahmen der TZI.

Das Ich:
Um in eine TZI-orientierte Interaktion treten zu können, muß ich zunächst herausfinden, was ich will, was ich denke, fühle, wahrnehme und erkenne. Je mehr ich meine inneren Motivationen und Ambivalenzen erkenne und je besser ich zwischen meinem »Ich sollte«, »Ich möchte« »Ich darf« und »Ich will« unterscheiden kann, um so offener und transparenter kann ich anderen Menschen begegnen und diese auf dem Hintergrund ihrer Lebensgeschichte verstehen und annehmen.

Die Themenzentrierte Interaktion ermutigt, sich der eigenen Gedanken, Empfindungen und Wünsche bewußtzuwerden und gleichzeitig die Gruppe, d. h. die einzelnen Gruppenmitglieder in ihrer Unterschiedlichkeit ins Bewußtsein aufzunehmen. In dieser umfassenden Bewußtwerdung kann ich nun realitätsbezogen und verantwortlich entscheiden, ob und wie ich in die Gruppeninteraktion eintrete – oder anders ausgedrückt: ob und wie ich selbstverantwortlich handeln will.

Das Wir:

Das »Wir« ist die Gruppe. Es setzt sich aus den einzelnen »Ichs« zusammen, die zu einer bestimmten Zeit an einem bestimmten Ort miteinander kommunizieren.

Da in der TZI die einzelne Person und die Gruppe als gleich wichtig angesehen werden, ist das Prinzip der Mehrheitsabstimmungen zur Entscheidungsfindung meistens nicht hilfreich. Kann zur Klärung offener Fragen kein Konsens gefunden werden, gilt es, gemeinsam nach einer Lösung zu suchen, die für alle tragfähig ist. Der Prozeß wird behindert, wenn einzelne sich »für« die Gruppe aufgeben – derartiges Zurückstecken schwächt nicht nur das WIR der Gruppe, es geht zudem potentielle Energie in Selbstaufopferung verloren. Im Unterschied dazu führt jedes »Ich gebe mich ein« zu einem größeren Wir-Anteil, der letztlich nicht nur der eigenen Selbsterfüllung, sondern auch der Gruppe zugute kommt. Dieses Ringen um einen Konsens ist in der Regel zwar anstrengender und zeitraubender als ein vorschnell geschlossener Kompromiß, es ist jedoch für den weiteren Gruppenprozeß eine befriedigende und tragfähige Grundlage.

> Das Wir wird stärker nicht durch Mitglieder, die sich selbst aufgeben, sondern durch die, die sich eingeben.
>
> *Ruth C. Cohn*

Das Es:
Das Sachanliegen, die gemeinsame Aufgabe oder der zu absolvierende Lernstoff wird als »Es« einer Gruppe bezeichnet. Das Es ist der inhaltliche Bezugspunkt einer TZI-Gruppe. Prinzipiell kann jeder Sachverhalt und jeder Unterrichtsstoff in einer TZI-Gruppe bearbeitet werden, wenn erstens die Leitungspersonen über genügend Wissen verfügen und entsprechende Vermittlungsmethoden besitzen, wenn zweitens die Anliegen, die Zusammensetzung und die Gesamtsituation der Gruppe bei der Auswahl des Sachanliegens berücksichtigt werden und wenn drittens die Sachanliegen den genannten TZI-Axiomen nicht widersprechen.

Der Globe:
Zum Globe gehören alle Umweltbedingungen und Menschen, die außerhalb der Hier-und-Jetzt-Situation einer Gruppe liegen. Diese Rahmenbedingungen haben auf die Gruppenarbeit einen nicht unerheblichen Einfluß und bedürfen daher besonderer Beachtung. Globe-Aspekte sind beispielsweise räumliche Gegebenheiten, Ziele des Auftraggebers, Erwartungen von Vorgesetzten, die unterschiedlichen Lebenswirklichkeiten der Teilnehmenden, gesellschaftliche Normen, aber auch die geschichtliche Vergangenheit eines Landes, die politische, soziale, wirtschaftliche

> **Wer den Globe nicht kennt, den frißt er.**
> *Ruth C. Cohn*

und ökologische Situation und natürlich auch aktuelle Nachrichten zu politisch brisanten und menschlich bewegenden Themen.

Je mehr Aspekte der äußeren Situation dem Gruppenleitenden schon vor dem ersten Zusammentreffen der Teilnehmenden bekannt sind, desto angemessener kann er seine Planung durchführen. Verschiedene Fragen verschaffen der Leitungsperson vor und während der Gruppenarbeit Klarheit über den »Globe«:

- Wie sieht der familiäre und berufliche Lebenszusammenhang der Teilnehmenden aus?
- Wie ist die Zusammensetzung der Gruppe (Alter, Geschlecht, Bildung, soziale Schicht)?
- Kommt die Gruppe freiwillig zusammen oder wurden die Teilnehmenden zu dieser Veranstaltung geschickt bzw. gezwungen?
- Wie viel Zeit und welcher Ort stehen für die Gruppenarbeit zur Verfügung?
- Welche Hierarchien gilt es zu beachten und ggf. zu verändern?
- Welche ökonomischen, ökologischen, gesellschaftlichen und politischen Wirklichkeiten müssen bekannt sein (und beachtet werden)?

Das Thema als inhaltliche Basis der Gruppenarbeit

Charakteristisch für die Themenzentrierte Interaktion sind zwei Gestaltungsfaktoren: Das Thema und die Struktur. Während das Thema auf die inhaltliche Ausprägung der Gruppenarbeit (das Was) hinweist, ist unter Struktur die methodische Umsetzung (das Wie) zu verstehen.

Ruth C. Cohn hat ihre Gruppenmethode deshalb »Themenzentrierte Interaktion« genannt, weil die Interaktion in einer TZI-Gruppe immer auf ein Thema zentriert ist. Für jede Arbeits- oder Lerneinheit wird ein Thema formuliert, durch das für alle transparent wird, was in der bevorstehenden Arbeitssequenz inhaltlich zu tun ist. Idealerweise ist das Thema so formuliert, daß es die Teilnehmenden unmittelbar anspricht, ihre Aufmerksamkeit bündelt und sie zur Mitarbeit einlädt. Die Aufgabe der Gruppenleitenden ist es, aus »nüchtern-trockenen« Lernstoffen und Sachanliegen menschlich-ansprechende Themen zu formulieren und damit die Gruppenmitglieder immer wieder neu für die gemeinsame Sache zu gewinnen.

> Das Thema ist wie ein runder, zu erkundender Raum, der sehr viele Eingangstüren hat, weil es viele Wege zu ihm gibt.
> *Ruth C. Cohn*

Wesentliche Vorarbeit für die Gruppeninteraktion ist eine gute und situationsgerechte Formulierung des Themas. Es bedarf einiger Einfühlung und Intuition um wahrzunehmen, wo eine Gruppe gerade steht und wie ein Thema lauten könnte, so daß die Gruppe angeregt wird, sich auf der persönlichen und sachlichen Ebene einen Schritt weiterzuentwickeln.

Je nach Gruppenprozeß gibt es Themenformulierungen, die den Ich-Aspekt, den Wir-Aspekt, den Es-Aspekt oder den Globe-Aspekt in den Vordergrund rücken. Die Gruppenleitenden stellen damit sicher, daß jeweils der Aspekt betont wird, der das Lebendige- Miteinander-Lernen in der Gruppe fördert.

In nachfolgender Übersicht hat Ruth C. Cohn zusammengestellt, was bei der Themenformulierung beachtet werden muß:

»Ein adäquat formuliertes Thema
- ist kurz und klar formuliert, so daß es dem Gedächtnis stets präsent bleibt;
- ist nicht abgedroschen und langweilt deshalb auch nicht;
- ist in bezug auf Sprache und Wissensanforderung auf die Teilnehmer zugeschnitten;
- ist so gefaßt, daß es niemanden ausschließt und niemandes Gefühl verletzt;
- ist nicht so eng (konkret) gefaßt, daß es keinen Raum für freie Einfälle, Gedanken und Bilder läßt, und
- nicht zu weit (abstrakt) gefaßt, daß es alles zulassen und nichts fokussieren würde;
- hat auch gefühlsmäßigen Aufforderungscharakter (Gruppenjargon, witzige und humorvolle Formulierung, Anklingen an aktuelle Geschehnisse u. ä.);
- eröffnet und begünstigt neue Horizonte und Lösungswege;

- ist jedoch nicht so einseitig formuliert, daß es andere Möglichkeiten ausschlösse und dadurch manipulativ wäre;
- verstößt nicht gegen die Wertaxiomatik der Menschenrechte und die Wertaxiome der TZI;
- begünstigt den Prozeß der Gruppe, insofern es, sowohl logisch als auch psychologisch, in die Sequenz der zu bearbeitenden Themen paßt und die dynamische Balance zwischen den verschiedenen Anliegen der Teilnehmer und den Sachnotwendigkeiten in Betracht zieht;
- beachtet die verbale Ausdrucksfähigkeit und die Sprachgewohnheiten der Gruppenteilnehmer und bezieht die Möglichkeiten nonverbaler Themendarstellung ein (Bilder, Pantomime, Materialien mit Aufforderungscharakter).«

Ein weiterer wichtiger Hinweis ist die positive Formulierung des Themas. Die Begründung ist einfach: Worte haben ein suggestives Element, daher können die Gruppenmitglieder in den meisten Fällen schöpferischer an ein positiv formuliertes Thema herangehen. So lenkt die Themenformulierung »Welche Grenzen und Schwierigkeiten bestimmen meinen Arbeitsalltag?« von vornherein die Blickrichtung auf die blockierenden Aspekte und wirkt damit einengend, während die Themenformulierung »Welche Freiheitsspielräume sehe ich in meinem Arbeitsalltag?« die Chancen und Möglichkeiten betont und damit die Blickrichtung erweitert.

Einführung des Themas

Steht das Thema fest und ist gut formuliert, bedarf es noch einer entsprechenden Einstimmung der Teilnehmenden in den neuen inhaltlichen Zusammenhang, der zur Bearbeitung ansteht. Der Gruppenleitende bzw. das Gruppenmitglied, das diese Aufgabe übernommen hat, stellt damit eine Verbindung zwischen den Teilnehmenden und dem Sachanliegen her. Es sollte deutlich werden, warum gerade dieses Thema zu diesem Zeitpunkt formuliert wurde und welchen persönlichen Bezug es zu demjenigen hat, der das Thema vorstellt. Selbstverständlich ist die Gruppe in diesem Zusammenhang dazu aufgefordert zu überprüfen, ob die vorgeschlagene Themenformulierung auch aus ihrer Sicht stimmig ist und ob sie sich auf dieses weitere Vorgehen einlassen will.

Einführungstechniken

Um die Aufmerksamkeit der Teilnehmenden auf das Thema zu lenken, sind verschiedene Einführungstechniken vorstellbar:

- einführende Worte der Leitungsperson(en) über die Vorbereitung der Arbeitssequenz;
- Überblick über die Struktur der geplanten Gruppensitzung;
- Aufforderung an die Gruppe, an eigene Erfahrungen und Erlebnisse zu denken, die im Zusammenhang mit dem Thema stehen;

- kurze Gruppenübungen und Rollenspiele;
- ein Bild, ein Dia und andere kreative Techniken (z. B. Malen);
- ein Text oder ein kurzes Referat;
- die Technik des »Dreischrittschweigens«:
  1. Nachdenken über frühere Erinnerungen und Gedanken (Schweigen);
  2. Bewußtwerden über jetzige Gedanken und Gefühle (Schweigen), und
  3. daran anschließend die Frage, wie sich jede und jeder einzelne persönlich auf das vorgestellte Thema einlassen kann.

Damit die Gruppenmitglieder genügend Zeit und Raum haben, um ihre eigenen Überlegungen und Anliegen bezüglich des Themas herauszubekommen, ist es hilfreich, nach der Nennung des Themas kurze Zeit zu schweigen.

Die Struktur als methodische Basis der Gruppenarbeit

Die Struktur ist eine wesentliche methodische Basis der TZI-Gruppenarbeit. Unter Struktur werden alle Aktivitäten und Entscheidungen verstanden, die es den Gruppenmitgliedern ermöglichen, sich auf die gemeinsame Aufgabe einzulassen und sie zu bearbeiten. Das wichtigste Strukturmoment einer TZI-Gruppe ist ihr jeweiliges Thema. Die Konzentration auf das Thema hilft der Gruppe, ihre gemeinsame Aufgabe im Blick zu behalten.

Zusätzlich zum TZI-Thema können sämtliche Organisationsformen, Techniken, Übungen und Methoden anderer Verfahren zur Strukturierung herangezogen werden, solange diese den Axiomen der TZI nicht widersprechen. Hierzu gehören z. B.: zeitlich klar strukturierte Arbeitseinheiten im Plenum, in Halb- und in Kleingruppen, das Podiumsgespräch, die Einzelarbeit, die Diskussion, das Blitzlicht, die Vor- und Nachbesprechung, Wahrnehmungs- und Entscheidungsübungen, der Einsatz von kreativen Medien, Phantasiereisen, Rollenspiel, Meditation und Bewegungsübungen.

Für das Gelingen einer TZI-Sitzung ist eine sorgfältige und gründliche Vorplanung in zwei Schritten notwendig. Zunächst gilt es, auf der Grundlage der jeweils vorangegangenen Arbeitseinheit (bei der ersten Sitzung sind es alle verfügbaren Vorinformationen), die verschiedenen Fortsetzungsmöglichkeiten der Gruppenarbeit zu reflektieren, um in einem zweiten Schritt die dem aktuellen Gruppenprozeß angemessene Kombination von Themenstellung und entsprechender Strukturierungshilfe herauszuarbeiten.

> TZI-Strukturierung bedeutet: Vorplanen mit allen bekannten Fakten und Wahrscheinlichkeiten und Offensein für Wahrnehmungen im Hier- und-Jetzt des Prozesses, um notwendige Umstellungen vornehmen zu können.
> *Ruth C. Cohn*

Strukturen ermöglichen Prozesse und schaffen Vertrauen

Die Art und Weise der Strukturierung eines Sachanliegens hat Einfluß auf den Prozeß und das Vertrauen in einer Gruppe.

Zum Prozeß gehört alles, was in der Gruppe geschieht – von der Entwicklung, die die einzelnen bewußt und unbewußt bei sich selbst erleben, die Art der Beziehungen, die die Gruppenmitglieder untereinander eingehen, bis hin zur Entwicklung der Gesamtgruppe. Von ihrem ersten bis zu ihrem letzten Treffen durchläuft jede Gruppe einen Prozeß, der abhängig ist von den Vorerfahrungen der einzelnen, der Zusammensetzung der Gruppe, der gemeinsamen Aufgabe und den äußeren Rahmenbedingungen. Der Gruppenprozeß ist also nur bedingt planbar und macht eine flexible Handhabung der geplanten Strukturen in der konkreten Gruppensituation notwendig. Strukturen sind nämlich nur so lange hilfreich, wie sie den aktuellen Gruppenprozeß unterstützen und den Bedürfnissen der Gruppe entsprechen.

Wenn Teilnehmende einer Gruppe wissen, was sie erwartet, wenn sie ermutigt werden, sich selber zu leiten, und wenn sie erfahren, daß sie sich auf die Gruppenleitenden verlassen können, entsteht Vertrauen. Die einzelnen Personen fühlen sich in der Gruppe sowohl wahr- und angenommen als auch geschützt und sicher. Ein vertrauensvolles Klima ist eine wesentliche Voraussetzung für soziales Lernen.

Es kann durch Zuhören, Offenheit, Anerkennung, Diskretion und Nicht-recht-haben-Müssen entstehen und wächst in einer Atmosphäre, in der es nicht nur erlaubt, sondern sogar erwünscht ist, Fehler zu machen und etwas Neues auszuprobieren.

Die Stichworte »Struktur«, »Prozeß« und »Vertrauen« kennzeichnen drei wichtige Eckpfeiler der TZI-Gruppenarbeit. Die drei Aspekte sind in jeder Gruppe wirksam, denn der Prozeß in einer Gruppe steht immer im Zusammenhang mit dem Vertrauen der Gruppenmitglieder untereinander und der Strukturierung des zu bearbeitenden Sachanliegens.

Die gegenseitige Abhängigkeit der drei Aspekte läßt sich graphisch in Form eines gleichseitigen Dreiecks darstellen, wobei die Pfeile die Wirkungsrichtung anzeigen.

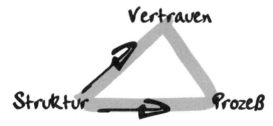

Zum Umgang mit dem Schatten in der Gruppenarbeit

Neben den Aspekten »Struktur, Prozeß und Vertrauen sind in jeder Gruppe immer auch die dazugehörigen »Schattenpole« vorhanden, nämlich: Chaos, Stagnation und Mißtrauen. Den Teilnehmenden und auch vielen Gruppenleitenden ist dies häufig nicht bewußt. Sie glauben, eine gute Gruppenarbeit zeichnet sich durch die Abwesenheit all der Aspekte aus, die scheinbar das Vorankommen an der gemeinsamen Aufgabe behindern. Sobald Konkurrenz, Neid, Unzuverlässigkeit, Ängste, Aggressionen, Unsicherheiten und Konflikte ins Spiel kommen, schrecken die Teilnehmenden zurück, beurteilen das Aufkommen dieser Aspekte als negativ und fühlen sich schlecht geleitet.

Unterschwellig, manchmal auch offen, wird der Anspruch an die Leitenden formuliert, möglichst schnell wieder einen harmonischen Zustand herzustellen. Leitende, die diesen Teilnehmerwünschen nachkommen, versagen sich selbst und der Gruppe wichtige Lernchancen und produzieren dazu auch noch eine Pseudoharmonie, die zum Scheitern verurteilt ist. Das Besondere der TZI-Gruppenarbeit ist die Akzeptanz des Schattens und die Integration seiner unterschiedlichen Ausprägungen in die gemeinsame Arbeit. Nur wenn es gelingt, die schattigen Anteile bei sich selbst und bei anderen als selbstverständliche Bestandteile des Lebens zu begreifen und anzunehmen, ist es möglich, verantwortlich mit den Schattenseiten umzugehen.

> **Es ist wichtig, sich seiner eigenen Schatten bewußtzuwerden, nicht aber, sie als zwingend für Handlungen zu akzeptieren.**
> *Ruth C. Cohn*

Dem Dreieck »Struktur–Prozeß–Vertrauen« ist daher immer auch das Schattendreieck »Chaos–Stagnation–Mißtrauen« zugeordnet.

Für einen bewußten Umgang mit dem Schatten sind folgende Sätze als Leitlinie hilfreich: Nimm alle Aspekte des Lebens – sowohl Licht als auch Schatten – in Dir und außerhalb von Dir unerschrocken wahr. Im Schatten steckt viel Lebensenergie, die Du nutzen kannst. Sei Dir bewußt, daß der Schatten viel weniger gefährlich und destruktiv ist, wenn Du ihm

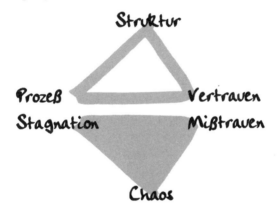

in die Augen schaust. Unkontrollierbar wird er nur, wenn Du ihn nicht wahrnehmen willst oder wenn Du versuchst, ihn wegzudrängen. Willst Du »ganz« sein, lebendig und vital, dann lasse Dich darauf ein, was in Dir steckt und gehe verantwortlich damit um!

Was wir bereits im Zusammenhang mit dem ersten Axiom, dem Prinzip der Arbeitsfähigkeit und dem Prinzip der dynamischen Balance, beschrieben haben, wird auch hier wieder deutlich: Die Themenzentrierte Interaktion basiert auf einem ganzheitlichen Menschenbild. Es gibt im System der TZI sowohl Selbständigkeit (Autonomie) als auch Verbundenheit (Interdependenz), sowohl Selbst- als auch Gruppenleitung, sowohl humanistischen Optimismus als auch psychoanalytischen Skeptizismus, sowohl Licht als auch Schatten. Damit ist die Themenzentrierte Interaktion in höchstem Maße realitätsbezogen, handlungsrelevant und weise zugleich, denn sie sieht die Gegensätze im Spannungsfeld ihrer Unterschiedlichkeit und gleichzeitig als Einheit der Wirklichkeit.

Zum Leitungsverständnis in Gruppen

Die TZI ist ein Ansatz zum Sich-selbst- und Gruppenleiten. Die Gruppenleiterinnen und Gruppenleiter sind immer auch Teilnehmende. Als solche bringen sie eigene Ideen, Interessen, Gedanken und Gefühle in den Gruppenprozeß ein. Gleichzeitig benötigen die Leitenden genügend Distanz zum Gruppengeschehen, um jederzeit ihre Leitungsaufgaben wahrnehmen zu können. Die Gruppenleitenden bewegen sich in einem Spannungsfeld zwischen dem authentischen Sich-Einlassen auf den Gruppenprozeß und dem kompetenten Wahrnehmen der Leitungsfunktionen.

Funktionen der Leitenden

Zu den Funktionen der Leitenden zählen:

- Gestaltung der Anfangssituation;
- Förderung einer vertrauensvollen Gruppenatmosphäre durch Transparenz, Wertschätzung und fachliche Kompetenz;
- Ermutigung der Teilnehmenden zur Selbstverantwortung;
- Beachtung der Balance zwischen Ich–Wir–Es und Globe;
- Themenfindung, -formulierung und -einführung;
- Strukturierung der Gruppenarbeit in Raum, Zeit und Arbeitsform;
- Ermutigung zu konstruktiver Konfliktbearbeitung;
- Professioneller Umgang mit Schattenthemen;
- Gestaltung der Schlußsituation.

Partnerschaftliche Leitung der Gruppe

Die partnerschaftliche Gruppenleitung wird von Ruth C. Cohn gerne mit dem Bild eines Orchesters ohne Dirigenten illustriert. Die Rolle des Gruppenleitenden ist in diesem Fall vergleichbar mit der des ersten Geigers. Er spielt als Orchestermitglied, und nur durch die Art, wie er seine Geige spielt, erleben andere Musiker seine leitende Funktion. Verliert jedoch das Orchester seinen Zusammenhalt, schlüpft der erste Geiger in die Rolle des Dirigenten, führt das Orchester wieder zusammen, um gleich darauf wieder zu seinem Part zurückzukehren. Er erfüllt damit eine zweifache Aufgabe. Neben seinem eigenen Spiel muß er sich gleichzeitig immer des gemeinsamen Spiels aller bewußt sein. Ebenso wie der erste Geiger ist auch die Leitungsperson in einer TZI-Gruppe gleichzeitig partizipierendes und leitendes Mitglied.

Im Unterschied zur konventionellen Psychotherapie geben die Gruppenleitenden ihre Leitungsrolle immer mehr zugunsten echter Partnerschaft ab. Diese partnerschaftliche Grundhaltung in der TZI-Gruppenarbeit zeigt sich unter anderem auch in dem Umgang mit Übertragungsphänomenen. Unter Übertragungsphänomenen sind Wünsche und Gefühle zu verstehen, die ursprünglich gegenüber früheren Bezugspersonen entstanden sind und die in Beziehungen zu Personen der Gegenwart aktualisiert werden. Während die klassische Psychoanalyse die Übertragung steigert, um sie durchzuarbeiten, betonen TZI-Gruppenleitende die sofortige und eindeutige Gegenüberstellung und Bearbeitung jeder Übertragung, um realitätsnahe Beziehungen zu erreichen.

Für eine nach der TZI-Methode arbeitende Gruppe ist eine klare Leitung notwendig, wobei die Leitung durch Konsens der Gruppe und unter Berücksichtigung der verschiedenen Kompetenzen der einzelnen Gruppenmitglieder delegiert werden kann und auch soll. Ist die Leitungsposition nicht klar festgelegt und fühlen sich daher alle Mitglieder mehr oder weniger für das Geschehen in der Gruppe verantwortlich, sinkt erfahrungsgemäß nach einiger Zeit entweder das inhaltliche Niveau der Arbeitsgruppe oder die einzelnen bzw. die Beziehungen in der Gruppe kommen zu kurz. All dies kann zu einer vorzeitigen Auflösung der Gruppe führen.

Zusammenfassend läßt sich sagen: Die TZI-Gruppenleitung ist ein urdemokratisches Modell der Gruppenarbeit, in der die Gruppenleitenden sowohl für sich selbst als auch für die Gruppe verantwortlich sind. In der Regel ist eine klare Leitung notwendig, wobei die Leitungsfunktionen nicht nur von den Leitenden, sondern in gleicher Weise auch von den Teilnehmenden wahrgenommen werden können.

Gruppenleitende im Spannungsfeld zwischen Ideal und Wirklichkeit

Die bisherigen Ausführungen zum Leitungsverständnis in TZI-Gruppen sind ein Ideal. Kein Gruppenleiter auf der Welt ist in der Lage, es perfekt und ohne Ausnahme in die Tat umzusetzen. Natürlich geht es darum, sich von dem beschriebenen Ideal inspirieren und anspornen zu lassen, und immer wieder gibt es tatsächlich Gruppensituationen, die dem Ideal entsprechen. Immer wieder kommt aber auch die andere Seite zum Vorschein. Unsicherheiten, Kantigkeiten und Widersprüche des Gruppenleitenden tauchen auf, Ängste entstehen, es werden Fehler gemacht, Mißerfolge stellen sich ein, und der Gruppenleitende leidet plötzlich unter seiner fehlenden inneren Balance. Genau wie alle anderen Gruppenmitglieder ist auch er »nur« Mensch, also begrenzt und fehlbar. In ihrer Funktion als Leitende sind Gruppenleiterinnen und Gruppenleiter daher immer zugleich Lehrende und Lernende. Die Teilnehmenden erleben sie sowohl in ihrer Professionalität als auch ihrer menschlichen Begrenztheit. Wenn der Gruppenleitende versucht, seine menschliche Unvollkommenheit zu kaschieren, geht seine Lebendigkeit und Authentizität verloren. Gelingt es ihm hingegen, in einer humorvollen Weise zu seinen Begrenzungen zu stehen, fällt seine »Abweichung« vom Leitungsideal weniger stark ins Gewicht. Gleichzeitig lernt die Gruppe, in einer heiter-akzeptierenden Weise mit Fehlern umzugehen.

Die Kunst, über sich selbst zu lachen und immer wieder neu eine heitere Distanz zu den Dingen und Menschen zu gewinnen, ist eine wesentliche Voraussetzung für lebendiges Lernen. Heitere Gelöstheit, Lachen, humorvolle Freude und auch Witze sind ein »erfrischender Wind« inmitten von unangemessener Ernsthaftigkeit und ein wichtiger Schlüssel zur inneren Freiheit.

Inges erste TZI-Erfahrung – oder:
Will ich auch, wenn ich soll, und darf ich auch noch, wenn ich will?

Inge betritt als erste den Gruppenraum im Dachgeschoß. Zwanzig im Kreis aufgestellte Stühle sind das einzige Mobiliar in dem schlichten Raum. Während Inge sich zaghaft umschaut, kommen weitere Kursteilnehmende die Treppe hinauf. Einige scheinen sich zu kennen, denn sie plaudern angeregt miteinander. Andere, so beobachtet Inge, sind ebenso wie sie darauf bedacht, einen guten Platz zu finden, von dem aus sie die Neuankömmlinge im Blick haben. In-

ges Herz klopft vor gespannter Erwartung und gleichzeitig fühlt sie sich sehr verloren. Sie schaut neidvoll auf das kleine Grüppchen neben der Türe, zu dem sich gerade eine weitere Frau gesellt, die von den anderen herzlich begrüßt wird.

Als die Gruppenleitenden den Raum betreten, wird es merklich stiller. Alle suchen sich einen Platz im Stuhlkreis, und auch das letzte Tuscheln verstummt. Die Gruppenleitenden schauen freundlich in die Runde und nehmen zu allen Blickkontakt auf. Inge wartet, bis sie an der Reihe ist, und lächelt schnell zurück; erst dann traut sie sich, auch in die Gesichter der anderen zu sehen. Blicke wandern hin und her, begegnen sich und lösen Kopfnicken und Lächeln aus, bis der Gruppenleiter Bernhard schließlich die Sitzung auch verbal eröffnet, indem er die Gruppe begrüßt und sich und die zweite Leiterin vorstellt. Erstaunt registriert Inge, daß er in diesem Zusammenhang die Frage nach der Anredeform, die in diesem Kurs herrschen soll, aufwirft. Sie hatte ein obligatorisches »Du« erwartet und ist plötzlich Zuhörerin eines Gruppengesprächs, in dem die unterschiedlichen Standpunkte ernsthaft und ehrlich zusammengetragen werden. Ermutigt durch die Diskussion überprüft Inge noch einmal ihre eigene Meinung und kommt zu dem Schluß, daß sie gerne geduzt werden will und auch die anderen lieber mit »Du« als mit »Sie« ansprechen möchte. Sie gibt sich innerlich einen Ruck und sagt dies auch laut. Inge erntet Zustimmung, und auch zwei ältere Männer, die in der Diskussion die »Sie«-Anrede vertreten haben, wollen sich auf das Gruppen-»Du« einlassen.

Mira, die Leiterin, sagt nun ein paar einführende Sätze zum Tagesplan des Hauses und zur Struktur der Woche, während Bernhard die jeweiligen Zeiten auf einem großen Bogen Papier mitschreibt, den er dann an der Wand befestigt. Zu insgesamt 18 Arbeitssitzungen von je 90 Minuten wird die Gruppe in den knapp fünf Tagen zusammenkommen. Zum Abschluß schreibt Bernhard noch mit großen Lettern das Thema des Kurses über den Wochenplan. »Hilfe, ich bin überfordert!« steht dort nun für alle unübersehbar. In die Stille hinein liest Mira laut und deutlich den Ausschreibungstext vor:

»Viele Menschen klagen über Streß, Sich-unter-Druck-Fühlen und Überforderung und empfinden Ricsnansprüche von Seiten der Vorgesetzten, der Partnerin oder des Partners und der Kinder. Bei näherem Hinsehen stellt sich häufig heraus, daß wir selber auch sehr anspruchsvoll sind. Verzichten und Abschied nehmen fällt besonders schwer in einer Welt voller Angebote und Möglichkeiten – wir könnten ja etwas verpassen. Und sind wir nicht verpflichtet, die Chancen auch zu nutzen? Mit dieser Haltung werden gerade die pflichtbewußten und gewissenhaften Menschen zu Menschen, die einerseits unersättlich und andererseits ständig überfordert sind. Unter Bezugnahme auf eigene Erfahrungen wollen wir diesem Phänomen im Arbeitsstil der TZI nachgehen.«

»Wie viel unmittelbarer der Text doch wirkt, wenn er vorgelesen wird«, denkt Inge, die sich schon beim ersten Lesen im Programmheft stark angesprochen fühlte, jetzt aber von einer inneren Unruhe gepackt wird. Die Stimme des Gruppenleiters unterbricht ihre Gedanken. »Das Thema der ersten Sitzung ist ›Ankommen und uns miteinander bekanntmachen‹ – ich werde Euch das Ankommen durch ein geführtes Schweigen erleichtern.«

Zunächst bittet Bernhard die Teilnehmenden, sich bequem hinzusetzen – wenn möglich –, die Augen zu schließen und die augenblicklichen Körperempfindungen, Gedanken und Gefühle wahrzunehmen. Inge fällt es leicht, sich auf seine Worte einzulassen; sie wandert mit ihrer Aufmerksamkeit durch ihren Körper, spürt ihren Herzschlag und ihre feuchten Hände, registriert ihre erwartungsvollen und angstmachenden Gedanken und fühlt, wie sie zwischen Neugierde und Unwohlsein hin- und hergerissen ist.

In einem zweiten Schritt regt Bernhard an, sich an die Motive für die Anmeldung zu diesem Kurs zu erinnern. »Verzweiflung« fällt Inge als erstes ein, und sie denkt an die schlaflosen Nächte, in denen ihr alles über den Kopf zu wachsen scheint: ihr Muttersein, die Anforderungen im Beruf, die vielen einsamen und gleichförmigen Abende, wenn ihr Sohn Peter schon schläft. Noch bevor sich Inge in ihren Gedanken an die Vergangenheit verliert, leitet der Gruppenleiter das Schweigen zu einem konkreten Zukunftsaspekt, indem er dazu auffordert, sich der Wünsche und Ziele im Hinblick auf die bevorstehende gemeinsame Arbeit bewußtzuwerden.

Inge stutzt, öffnet die Augen und schaut fragend zu Bernhard hinüber. »Er ist doch der Gruppenleiter«, denkt sie, »wieso fragt der uns nach den Zielen dieses Kurses?«

Als hätte Mira ihre Gedanken erraten, fügt diese im Anschluß an das geleitete Schweigen einige Erläuterungen an. »Der Blick nach innen schult die Wahrnehmung der eigenen Bedürfnisse, und dies ist eine wesentliche Voraussetzung dafür, daß sich jede und jeder für die eigenen Wünsche und Bedürfnisse in der Gruppe auch einsetzen kann. Natürlich haben wir uns als Leitende Gedanken über die Ziele dieses Kurses gemacht, aber für unser Leitungsverständnis ist es von zentraler Bedeutung, daß jedes einzelne Gruppenmitglied sich auch selber leitet – und dies ist nur möglich, wenn Ihr Euch darüber bewußt seid, was Ihr hier wollt.«

Inge hilft diese Erläuterung in ihren Überlegungen etwas weiter.

Für den weiteren Verlauf der Sitzung kündigt Bernhard eine Vorstellungsrunde an. Er führt an dieser Stelle den Begriff des Chairperson-Postulats ein und zeigt auf, welche Bedeutung dieses Postulat für die Vorstellungsrunde hat: »Meine eigene Chairperson zu sein bedeutet, daß ich allein dafür verantwortlich bin, was ich hier und jetzt in dieser Runde den anderen von mir mitteile und was nicht.«

Nach kurzem Schweigen eröffnet Jürgen die Runde und berichtet, die Augen auf den Gruppenleiter gerichtet, über seinen beruflichen Werdegang. Nach seinem Statement schaut er seine Nachbarin zur Linken auffordernd an, die sich bereitwillig mit ihrer Vorstellung anschließt und engagiert von ihrer neuen Stelle erzählt, die sie vor kurzem angetreten hat.

Als auch Annette nach ihrem Beitrag nach links schaut, greift der Gruppenleiter mit der Bemerkung ein: »Bevor es hier reihum weitergeht, will ich etwas von mir loswerden.« Er erzählt von einem verregneten Familienurlaub an der Ostsee, der ihn sehr angestrengt hat, und daß er jetzt ganz froh ist, sich in diesem Kurs mit etwas anderem beschäftigen zu können. Verhaltenes Schmunzeln huscht über einige Gesichter, und die Vorstellungsrunde geht nicht der Reihe nach, sondern kreuz und quer weiter. Inge hört interessiert zu und ist erstaunt, wie bunt zusammengewürfelt diese Gruppe ist. Vom Sozialarbeiter über den Studentenpfarrer, eine arbeitslose Lehrerin, eine Trainerin in der Wirtschaft bis zu einer Hausfrau sind, sowohl was die Altersstruktur als auch das berufliche Spektrum angeht, die unterschiedlichsten Menschen vertreten.

Beinahe hätte sie vergessen, daß sie sich ja auch noch selbst vorstellen muß, und sie zählt die Gesichter ab, die bisher noch nichts gesagt haben. Und da ist er wieder, der Druck im Nacken, das Herzklopfen, die feuchten Hände ... Fieberhaft sucht sie nach Worten, mit denen sie sich vorstellen könnte. Noch vier, die nichts gesagt haben. Die Worte der anderen rauschen an ihr vorüber, und sie ist nur mit einem Gedanken beschäftigt: Bloß nicht als letzte drankommen!

Miras Beitrag fällt sehr kurz aus, eine andere Frau schließt sich sofort daran an, und Inge bleibt übrig. Sie spürt, wie alle Augenpaare sich auf sie richten, und beginnt mit zitternder Stimme von ihrer privaten und beruflichen Situation zu erzählen. Niemand scheint ihrer Aufregung große Bedeutung beizumessen, und mit einem Seufzer der Erleichterung beendet sie ihre Ausführungen. Bernhard nickt ihr zu und bemerkt mit Blick in die Runde: »Inge, Daphne und Reinhard haben recht ausführlich von sich erzählt. Vielleicht wollt Ihr von einigen anderen auch noch etwas wissen. Es gibt jetzt die Gelegenheit nachzufragen.«

Nach eher zögerlichem Anfang entwickelt sich ein lebhaftes Fragen und Antworten, bis Mira sich einschaltet: »Ich komme mir gerade vor wie in einer Quizsendung, wo es auch auf jede Frage eine Antwort gibt und niemand weiß, warum gerade diese Frage gestellt wird. Das Thema unserer Sitzung lautet: ›Ankommen und sich miteinander bekanntmachen‹. Und daher bitte ich Euch, mit jeder Frage, die ihr stellt, auch den Grund dafür offenzulegen, denn nur so entsteht Kontakt.« Im weiteren Gespräch kristallisiert sich immer deutlicher das gegenseitige Interesse der Teilnehmenden aneinander und die Motivation zu diesem Kursthema heraus.

Zum Abschluß der ersten Sitzung schlägt Bernhard eine Übung vor, die das Namenlernen erleichtert. Inge bekommt einen Schreck, denn sie kann sich an kaum einen Namen erinnern. Offensichtlich geht es einigen anderen auch so, denn viele stimmen zu, als Reinhard dies auch laut sagt. »Was glaubt Ihr denn, warum ich dieses Namenlernspiel vorgeschlagen habe«, grinst Bernhard, »ich konnte mir auch nur ein paar Namen merken – und deswegen üben wir jetzt«.

Die Gruppe kann sich nun gut auf die Übung einlassen, und Inge macht es Spaß zu sehen, wie mühelos sie sich die Namen der anderen auf diese Weise einprägen kann. »Na also!« hört sie Bernhard sagen, der jetzt zufrieden in die Runde schaut, »ich glaube, fürs erste reicht es, wir können die Übung ja bei Bedarf noch einmal machen. Jetzt sei uns erst mal eine Pause gegönnt. Wir sehen uns nach dem Essen um 20.30 Uhr hier wieder.«

Das Abendessen ist gut und reichhaltig, Inge ißt mehr als gewöhnlich und hört amüsiert Bernhards Ausführungen über seine mißglückten Kochversuche im Urlaub zu. Dieser steigert sich in die Details seiner Erzählung hinein, und schon nach kurzer Zeit unterhält er den ganzen Tisch, wobei er kaum zum Essen kommt. Er mahnt sich schließlich selbst zur Eile, einige nehmen dies zum Anlaß, den Speisesaal zu verlassen.

Wenig später finden sich die Teilnehmenden in gelöster Stimmung wieder im Gruppenraum ein. Inge hat sich automatisch auf ihren alten Platz gesetzt, was ihr aber erst auffällt, als Daphne sich gegen den Protest von Reinhard auf »dessen Stuhl« niederläßt.

Mira eröffnet die zweite Gruppensitzung und nennt das Thema: »Ich weiß es, und Ihr sollt es auch erfahren – eine typische Situation, die mich überfordert!« Sie erläutert das Thema, indem sie den Zusammenhang mit der vorangegangenen Sitzung deutlich macht. Immer noch soll das Kennenlernen im Vordergrund stehen, diesmal unter direkter Einbeziehung des Kursthemas. Als Struktur für diese Sitzung schlägt sie die Bildung von Viererguppen vor, in denen der Austausch über das Thema stattfinden wird, und fordert zur Bildung dieser Gruppen auf.

Während die ersten schon aufstehen, rechnet Inge noch einmal nach »18 : 4 = ?«, dabei hört sie Jürgen auch schon laut fragen: »Macht Ihr zwei denn mit oder nicht?«

»Klar machen wir mit – und schauen wir mal, wer uns dabeihaben will!« sagt Bernhard. Die Gruppen bilden sich zügig, und Inge freut sich, daß Mira in ihrer Kleingruppe ist. Bernhard erklärt das weitere Vorgehen: »Wir möchten mit einer Einzelarbeit beginnen, damit alle die Möglichkeit haben, sich zunächst einmal auf sich selbst zu besinnen, bevor dann der Austausch in der Gruppe erfolgt. Wir bitten Euch zu diesem Zweck, Euch an eine typische Situation zu erinnern, in der Ihr überfordert seid. Malt diese Situation dann auf ein Blatt Papier. Dabei kommt es nicht darauf an, daß Ihr besonders schön oder originell malt; gebt dem Gefühl Raum, das Ihr bei dem Gedanken an die Situation habt, und laßt Euch beim Malen von diesem Gefühl leiten! Hier vorne liegen Papier und Stifte, bedient Euch und sucht Euch zum Malen einen geeigneten Platz im Raum – wir nehmen uns dafür 20 Minuten Zeit.«

»Das kann ja heiter werden«, denkt Inge, »ich und malen«. Sie schaut sich um und sieht Reinhard schon mit hochrotem Kopf vor seinem Blatt sitzen; in jeder Hand hält er einen dicken Wachsmalstift. Auch die meisten anderen haben sich schon mit Papier und reichlich Stiften eingedeckt, so daß Inge ihre Bedenken beiseite schiebt und sich an eine typische Streßsituation zu erinnern versucht. Sie entscheidet sich für eine Szene aus ihrem beruflichen Alltag an der Volkshochschule. Das Malen nimmt sie sehr gefangen, und während sie noch intensiv mit ihrem Bild beschäftigt ist, bittet Bernhard, mit der Malübung zum Ende zu kommen, da die Zeit um ist. Er weist darauf hin, daß die Kleingruppen bis zum Ende der Sitzung zusammenbleiben. Die Gruppenmitglieder sollen sich ihre Bilder gegenseitig vorstellen, besprechen und sie am Schluß der Sitzung im Gruppenraum aufhängen.

Die Kleingruppen finden sich daraufhin wieder zusammen, und Inge hat sich fest vorgenommen, diesmal als erste etwas zu sagen. Sie möchte es hinter sich bringen, damit sie sich besser auf die Vorstellung der anderen Bilder einlassen kann. In ihrer Gruppe erhebt sich kein Widerspruch, und so legt Inge ihr Bild in die Mitte. Sie hat den ganzen Platz zum Malen ausgenutzt, kaum ein Flecken weißes Papier ist zu sehen. In der Mitte des Bildes prangt ein überdimensional großer schwarzer Schreibtisch. Der PC ist von Aktenstapeln und Papieren eingerahmt, und ein paar Noten über dem Telefon zeigen an, daß es gerade läutet. Im Hintergrund ist eine offene Tür zu sehen, durch die ein dicker, untersetzter Mann mit erhobenen Händen den Raum betritt. Rechts und links vom Schreibtisch drängeln sich ein halbes Dutzend Menschen, die alle auf die kleine, vor dem Schreibtisch sitzende Person einreden. »Das bin ich«, sagt Inge und deutet auf die Figur vor dem Schreibtisch. »Immer wenn das neue Programm fertiggestellt werden muß, ist bei uns die Hölle los. Niemand hält sich an die Fristen, und an mir bleibt alles hängen, denn ich bin für die Gestaltung des Programms verantwortlich. Ich muß den einzelnen hinterhertelefonieren, Ausschreibungstexte korrigieren, habe die gesamten Honorargeschichten am Hals und, und, und. Und dann ist da noch mein Chef, der alles besser weiß.« Inge erzählt in großer Ausführlichkeit von ihrem Überfordertsein, und die Mitglieder ihrer Kleingruppe hören ihr aufmerksam zu, bis Jürgen schließlich mit der Bemerkung dazwischenfährt: »Meine Güte, dann schick doch die Leute vor die Tür und laß sie einzeln hereinkommen!« Inge schaut Jürgen entgeistert an, der daraufhin sofort etwas von »hab ich doch nicht so gemeint« vor sich hin murmelt. »Vielleicht hast Du es ja doch so gemeint«, sagt Mira, und bittet Jürgen zu erzählen, wie Inges Bild auf ihn wirkt. »Wenn ich das Bild so sehe, dann bleibt mir die Luft weg. Also, ich könnte so nicht arbeiten. Da ist ja nicht mal Platz für die Kaffeetasse auf Deinem Schreibtisch.« »Was würdest Du denn tun«, fragt Mira, »wenn Du an Inges Stelle wärst?« »Platz schaffen würde ich mir – erst einmal auf meinem Schreibtisch, und dann würde ich noch dafür sorgen, daß die Leute nur einzeln in mein Zimmer kommen.« Mira blickt zu Inge, die Jürgen mit kritischem Blick mustert. »Na, Inge, wie geht es Dir, wenn Du dies von Jürgen so hörst?«

»Aber so einfach ist das nicht«, kontert Inge, und ihr trotziger Tonfall ist nicht zu überhören. »Einfach ist es sicher nicht«, erwidert Mira, »aber vielleicht hilft es Dir, wenn ich Dir jetzt sage, was mir noch aufgefallen ist. Wenn ich das Bild so ansehe und Dich erzählen höre, geht es mir ähnlich wie Jürgen. Daneben spüre ich jedoch noch eine andere Ebene, nämlich die, daß Du sehr stolz darauf bist, unter derartig schwierigen Bedingungen Deine Arbeit zu schaffen. Du hast also eine ganze Menge Energie. Und diese Energie wird ja auch beim Erzählen deutlich. Ich habe selten jemanden mit soviel Engagement von ihrer Überforderung reden hören.« Eine Pause entsteht, und Inges Gesicht drückt Nachdenklichkeit aus. Nach einer Weile ergreift Mira wieder das Wort. »Ich würde jetzt hier gerne einen Punkt machen und mit der Besprechung der anderen Bilder fortfahren.«

Jürgen, Doreen und Mira stellen nacheinander ihre Bilder vor, doch Inge ist nur halb bei der Sache. Ihr geht nicht aus dem Kopf, was Mira über ihr »engagiertes Überfordertsein« gesagt hat. »Ich fühle mich wirklich überfordert, das stimmt«, denkt Inge, »aber ich tue auch eine ganze Menge dafür, daß ich so arbeiten muß, wie ich arbeite«. Das lebhafte Gespräch der anderen holt sie mit ihren Gedanken wieder in die Gruppe zurück, und sie versucht erneut, sich auf die anderen einzulassen.

Die Kleingruppe wird mit ihrer Arbeit rechtzeitig fertig, und die einzelnen hängen zum Abschluß noch ihre Bilder im Gruppenraum auf. Inge schaut auf ihre Armbanduhr, es ist kurz nach 22.00 Uhr. Sie fühlt sich einerseits müde und gleichzeitig zu aufgedreht, um jetzt schlafenzugehen. Einigen anderen geht es ähnlich, und so erntet Doreens Vorschlag Zustimmung, sich noch auf ein Gläschen Wein am Kachelofen zusammenzusetzen.

Am nächsten Morgen finden sich die Kursteilnehmenden nach dem Frühstück um 9.00 Uhr wieder im Gruppenraum ein. Bernhard wünscht einen guten Morgen und eröffnet die Sitzung mit einer Runde zum Thema »Mein Befinden heute morgen – wie habe ich geschlafen, habe ich etwas geträumt, wie geht es mir jetzt?«

Inge fühlt sich unausgeschlafen. Sie hatte sich abends sehr beeilt, um noch vor 22.30 Uhr ihre Mutter telefonisch zu erreichen. Diese erzählte ihr dann so viel von Peter, daß sie selbst kaum zu Wort kam. Sie war daher froh, anschließend noch mit anderen aus ihrer Kleingruppe gemütlich am Kachelofen sitzen zu können. Später, auf ihrem Zimmer, war ihr dann auf einmal gar nicht mehr klar, warum sie ihre Mutter überhaupt angerufen hatte. Miras Ausspruch von ihrem »engagierten Überfordertsein« kam ihr wieder in den Sinn. Sie dachte noch lange über einen Zusammenhang mit dem Telefongespräch nach und schlief erst spät ein.

Während die einzelnen Gruppenmitglieder sich zu der von Bernhard gestellten Frage äußern, nimmt Inge ihre Anspannung wahr, weil sie sich überhaupt nicht vorstellen kann, wie es heute morgen inhaltlich weitergehen soll. Und so reiht sie sich mit einem lustlos vorgetragenen Statement in die Runde ein. Erst als Bernhard die weitere Struktur dieser Sitzung erklärt, erwacht auch Inges Neugierde wieder. Aufgabe ist es, bis spätestens zum Mittagessen arbeitsfähige Halbgruppen zu bilden, die in ihrer Zusammensetzung für die Zeit des Seminars verbindlich bleiben. Dafür gibt es lediglich zwei Vorgaben. Erstens: Die Gruppen sollen gleich groß sein. Zweitens: Frauen und Männer sollen sich gleichmäßig auf beide Gruppen aufteilen. Zur inhaltlichen Begründung fügt Mira folgendes an: »Wir wollen im Laufe des Seminars immer wieder in Halbgruppen arbeiten und schlagen deshalb an dieser Stelle die Halbgruppenbildung vor. Die beiden kleinen Gruppen haben den Vorteil, daß die einzelnen häufiger zu Wort kommen können. Durch die Kontinuität in der Gruppenzusammenstellung kann darüber hinaus das Vertrauen untereinander besser wachsen.«

»Wir könnten die Aufgabe ganz einfach lösen, indem wir abzählen«, ergänzt Bernhard, »aber uns geht es hier nicht um eine formale, sondern um eine personale Entscheidung. Das heißt für jede und jeden einzelnen von Euch, genau zu überprüfen, mit wem ihr intensiver zusammenarbeiten wollt und was ihr dafür zu tun bereit seid. – Gibt es dazu noch Fragen?« Daphne meldet sich zu Wort: »Was passiert denn, wenn wir uns nicht einig werden?«

»Ich kann natürlich nicht voraussagen, was dann hier in dieser Gruppe passieren wird, und soweit sind wir ja auch noch gar nicht. Wichtig ist zunächst einmal, nicht schon im Vorfeld die eigene Wahl von irgendwelchen Phantasien, was wohl passieren könnte, beeinträchtigen zu lassen, sondern genau zu schauen, was ich hier und jetzt will.«

Inge schaut sich im Raum um. Jürgen, Doreen und

Mira hat sie bereits in der Kleingruppe etwas besser kennengelernt, und mit ihnen könnte sie sich eine intensivere Arbeit gut vorstellen. Auch Reinhard, Annette und Daphne sind ihr sympathisch, doch haben die drei am gestrigen Abend zusammen mit Astrid und Bernd in einer Ecke etwas abseits von den anderen gesessen. Ihre überaus lautstarke Unterhaltung und besonders das unüberhörbare Lachen von Bernd klingt Inge noch in den Ohren, und sie spürt genau, daß sie mit Bernd auf gar keinen Fall in näheren Kontakt kommen will – seine direkte und impulsive Art stößt sie ab. »Wenn die fünf sich gestern abend schon so prächtig amüsiert haben, dann werden sie bestimmt in eine Gruppe wollen«, denkt Inge und läßt ihren Blick weiterwandern. Melanie erscheint ihr noch interessant. Sie hatten während des Frühstücks nebeneinandergesessen und waren dabei unversehens auf eine gemeinsame Leidenschaft – die Krimis von Janwillem van de Wetering – gestoßen. Inge lächelt bei dem Gedanken daran in Melanies Richtung. Melanie ihrerseits erwidert das Lächeln nicht, sie wendet ihren Blick sogar ab. Inge ist verunsichert, und der Gedanke schießt ihr durch den Kopf: »Was ist, wenn ich mit Melanie in einer Gruppe sein will, sie aber nicht mit mir?«

Noch immer sitzen alle Gruppenteilnehmenden auf ihren Stühlen, was Bernhard mit der Bemerkung kommentiert: »Wie ich sehe, scheint es sehr schwierig zu sein, konkrete Wünsche zu äußern. Wer aktiv jemand anderen wählt, legt damit seinen Wunsch offen, und dann besteht immer auch die Gefahr, daß dieser Wunsch nicht erfüllt wird. Verberge ich daher meinen Wunsch, bekommen es die anderen wenigstens nicht mit, wenn er unerfüllt bleibt. Dies ist eine Strategie, um scheinbar unverletzt zu bleiben, tatsächlich verschweige ich aber nur meine Verletzbarkeit und damit einen wichtigen Teil, der zu mir gehört und der mich auch liebenswert macht. Ich möchte

Euch daher Mut machen, hier in diesem Seminar einmal auszuprobieren, was passiert, wenn Ihr Eure inneren Wünsche nach außen tragt.«

Bernd ist der erste, der aufsteht, und, wie Inge befürchtet hatte, gruppieren sich auch sofort die vier anderen von gestern abend um ihn. Auch Inge hat sich von ihrem Platz erhoben, und während sie noch zaghaft versucht, zu Melanie Blickkontakt aufzunehmen, kommt Bernd auf sie zu und schlägt ihr vor, doch in »seiner« Gruppe mitzumachen. Inge spürt Unbehagen, aber sie schafft es nicht, ihm dies deutlich zu machen. Statt dessen geht sie zögerlich auf die Kleingruppe zu, die sich um Bernd gebildet hat. Auf halbem Weg bleibt sie jedoch stehen und blickt unsicher um sich. Auch andere Gruppenteilnehmer bewegen sich langsam im Gruppenraum und nehmen vorsichtig miteinander Kontakt auf. Leises Gemurmel entsteht, so daß die Äußerungen der einzelnen nicht mehr verstehbar sind. Bernhard, der den Prozeß aufmerksam mitverfolgt hat, merkt in dieser Situation an: »Ich bitte Euch, darauf zu achten, daß immer nur eine Person redet, damit wir alle hören, was in diesem Gruppenbildungsprozeß gerade geschieht.« Inge kann mit dieser Äußerung im Moment nichts anfangen und steht immer noch etwas verloren und orientierungslos im Raum. Zwischenzeitlich hat sich um Doreen und Jürgen eine zweite Kleingruppe gebildet, zu der auch Melanie gehört. Als Doreen sie anspricht, ob sie nicht dazukommen möchte, ist Inge froh und erleichtert. Sie nickt und geht auf die Gruppe zu. Nicht mehr allein, fühlt sie sich schon viel wohler und kann nun ihrerseits genauer schauen, wen sie noch gerne in ihrer Halbgruppe hätte. Dazu zählen natürlich Reinhard, Daphne und Annette, doch dies sagt sie nicht laut, weil sie vor der Reaktion von Bernd Angst hat. Gleichzeitig besinnt sie sich auf Bernhards Vorschlag, hier nicht nur zu phantasieren, sondern konkret auszuprobieren, und sie entschließt sich, wenigstens Reinhard abzuwerben. Dieser ist sichtlich geschmeichelt und kommt, trotz des von Daphne und Annette gezeigten Bedauerns, bereitwillig zu ihr – Bernd lächelt verlegen und sagt nichts dazu.

Inge ist mit sich jetzt sehr zufrieden. Es war ihr wichtig, mit Melanie und Reinhard in einer Gruppe zu sein, auch mit den anderen kann sie sich eine Zusammenarbeit vorstellen. Ohne bedeutsame innere Anteilnahme beschränkt sie sich nun darauf, den weiteren Gruppenbildungsprozeß zu beobachten, der dann auch kurz vor dem Mittagessen erfolgreich abgeschlossen ist.

Der Prozeß der Gruppenbildung wird in der Nachmittagssitzung in den beiden Halbgruppen reflektiert, und anschließend erfolgt ein Austausch im Plenum darüber. In dieser Sitzung wird Inge wieder einmal dazu angeregt, genau nachzuspüren, was sie eigentlich will. Sie kann die Unterschiedlichkeit ihres Engagements, je nachdem, ob sie glaubt, etwas zu »sollen« oder zu »wollen«, anhand des Gruppenbildungsprozesses im Bezug auf Bernd gut nachvollziehen und formuliert für ihr weiteres Nachdenken eine Art Schlüsselfrage: »Will ich auch, wenn ich soll, und darf ich auch noch, wenn ich will?«

Im weiteren Verlauf des Seminars stößt Inge immer wieder an den Punkt, einmal genauer hinzusehen, was sie will und was sie soll, bzw. was sie nur zu wollen und zu sollen glaubt. Und als am letzten Seminartag danach gefragt wird, was die einzelnen aus dem Seminar mit nach Hause nehmen, schreibt Inge ihre Schlüsselfrage auf ein Blatt und zeigt es der Gruppe. Sie ist stolz auf diesen Satz, und sie ist auch stolz auf sich. Das gute Gefühl erleichtert ihr den Abschied von der Gruppe, und in einer beschwingten Stimmung fährt sie nach Hause.

Es geht um Werte – TZI und das Menschenbild der Humanistischen Psychologie und Pädagogik

Wie die Gestalttherapie, das Psychodrama und die Gesprächstherapie ist auch die Themenzentrierte Interaktion ein Konzept der Humanistischen Psychologie und Pädagogik. Die Verfahren dieser Bewegung entstanden Anfang der sechziger Jahre in den USA und verstanden sich als »dritte Kraft«, d. h. als Ergänzung, Alternative und Gegenbewegung zur Psychoanalyse (»erste Kraft«) und zur Verhaltenstherapie (»zweite Kraft«). Als Antwort auf die tiefgreifende Kulturkrise der heutigen Gesellschaft hat sich die Humanistische Psychologie und Pädagogik zur Aufgabe gemacht, nach neuen Antworten auf die Frage nach dem Sinn und der Daseinserfüllung menschlichen Lebens in einer von Entfremdungsprozessen bestimmten Lebenswelt zu suchen.

Positives Menschenbild

Auffallend ist, daß allen Verfahren der Humanistischen Psychologie und Pädagogik ein positives Menschenbild zugrunde liegt. In bewußter Abkehrung von der gängigen Fixierung auf die defizitären Anteile des Menschen, wie dies in der psychoanalytischen und verhaltenstherapeutischen Tradition zum Ausdruck kommt, orientieren sich die Verfahren der Humanistischen Psychologie und Pädagogik in erster Linie an dem positiven Potential des Menschen. Die Menschen werden unterstützt, ihre positiven Kräfte und Stärken zu entdecken und auszubilden.

Die nachfolgenden Prinzipien sind grundlegend für die Humanistische Psychologie und Pädagogik:

Autonomie und soziale Interdependenz

Das Bewußtsein von Autonomie (Eigenverantwortlichkeit) und sozialer Interdependenz (Verbundenheit) sind zwei wesentliche Grundbedingungen menschlichen Daseins. Die Anerkennung der Autonomie des Menschen führt zu einer positiven Grundeinstellung und zu einer aktiven Haltung gegenüber dem Leben. Mit dieser inneren Einstellung gibt der Mensch die Verantwortung für sein Leben nicht aus der Hand, sondern eröffnet sich die Möglichkeit, es aktiv zu gestalten und zu verändern.

Autonomie, so Ruth C. Cohn, ist jedoch nicht zu verwechseln mit Autismus, worunter man eine krankhafte Ich-Bezogenheit versteht. Im Gegenteil: In gleicher Weise, wie das Bewußtsein für die Autonomie des Menschen gefördert wird, geht es parallel dazu um die Ausprägung des Bewußtseins für die soziale Interdependenz. Die Existenz des Menschen kann nicht isoliert betrachtet werden, sondern muß immer auf dem Hintergrund der Erfahrungen in der eigenen Familie und der gesellschaftlichen Realität gesehen werden. Nur dann wird ein Selbstverwirklichungsprozeß möglich, wenn individuelles Wachstum im Kontakt und in der Begegnung mit anderen Menschen geschieht. Darüber hinaus ist es in unserer Zeit wesentlich, eine möglichst umfassende Erfahrung der Verbundenheit mit unserer gefährdeten Umwelt anzubahnen, damit wir die Verantwortung für alles Lebendige wahrnehmen können.

Selbstverwirklichung

Der Drang nach Selbstverwirklichung ist für die Humanistische Psychologie und Pädagogik eine grundlegende Antriebskraft für menschliches Handeln. Die Selbstverwirklichungstendenzen drücken sich in der Entfaltung von eingeschränkten und verborgenen Fähigkeiten und Begabungen sowie im Streben nach Selbst- und Welterkenntnis aus. Es geht den Verfahren der Humanistischen Psychologie und Pädagogik darum, die Anlagen des Menschen zu entfalten und das Potential der konstruktiven Kräfte im Menschen freizusetzen.

Wie unterschiedlich jedoch die Auffassungen von Selbstverwirklichung innerhalb der Richtung der Humanistischen Psychologie und Pädagogik sein können, zeigt Ruth C. Cohn mit den beiden folgenden Versionen des sogenannten »Gestaltgebets« auf.

»Ich bin Ich, und Du bist Du.
Ich bin nicht dazu da, um Deinen Erwartungen zu genügen, und Du bist nicht dazu da, meinen Erwartungen zu genügen.
Ich bin Ich, und Du bist Du.
Wenn wir uns finden, ist es wunderschön. Wenn nicht, kann man nichts machen.« (Fritz Perls)

Während der obere Text, der vom Mitbegründer der Gestalttherapie Fritz Perls stammt, eine Ermunterung zum Egozentrismus enthält, wird in Ruth Cohns Auffassung von Selbstverwirklichung nicht nur die individuelle, sondern auch die soziale und ökologische Wirklichkeit ernst genommen.

»Ich kümmere mich um meine Angelegenheiten, ich bin ich.
Du kümmerst Dich um Deine Angelegenheiten, Du bist Du.
Die Welt ist unsere Aufgabe. Sie entspricht nicht unseren Erwartungen. Doch wenn wir uns um sie kümmern, wird sie sehr schön sein. Wenn nicht, wird sie nicht sein.«

Ziel-, Sinn- und Wertorientierung

Die Humanistische Psychologie und Pädagogik betont die bedeutsame Rolle der Werte, Ziele und der Sinnfrage im menschlichen Leben. Alle Verfahren gehen von der Annahme aus, daß der Mensch, wenn seine elementaren Bedürfnisse (z. B. Essen, Sexualität, Sicherheit, Liebe und Anerkennung) befriedigt sind, nach einem sinnvollen und erfüllten Leben strebt. In einer Zeit der drohenden Zerstörung der Schöpfung fühlen sich immer mehr Menschen von den Verfahren der Humanistischen Psychologie und Pädagogik angesprochen, weil die Orientierung an humanen Werten wie Freiheit, Selbstentfaltung, Gerechtigkeit und Menschenwürde hier einen zentralen Stellenwert besitzt.

> Humanistische Psychologie heißt: Mut zur Bewertung. Nicht »wertneutral«, nicht »wertabstinent«, sondern bewertend und Werte aussprechend, nicht diktatorisch, sondern deutlich und transparent.
> *Ruth C. Cohn*

Ganzheitlichkeit

Das Prinzip der Ganzheitlichkeit stellt den Versuch dar, Polaritäten wie Leib–Seele–Geist, Denken–Fühlen–Handeln, Mensch–Umwelt zu verbinden.

Aus humanistischer Sicht ist der Mensch ein ganzheitliches Wesen, dessen Fähigkeiten zu fühlen, zu denken und zu handeln, gleichberechtigt zusammenwirken. Damit wenden sich die Verfahren der Humanistischen Psychologie und Pädagogik gegen eine Trennung der Leib-Seele-Geist-Einheit des Menschen, die häufig mit einer Überbewertung kognitiver Fähigkeiten einhergeht. Ein umfassendes Verständnis vom Menschen schließt neben der Gleichberechtigung der einzelnen Aspekte auch die Sicht vom Menschen als einmaliges Ganzes mit ein – der Mensch ist mehr als die Summe seiner Teile.

Friedemann Schulz von Thun hat Merkmale zusammengestellt, die typisch sind für von der Humanistischen Psychologie geprägte Menschen:

»1. Priorität der inneren Entwicklung vor äußeren Erfolgen (zum Beispiel Karriere);
2. Betonung der Emotionalität, Gefühle und Träume als innerer Kompaß;
3. die Entdeckung von Urheberschaft und Übernahme von Verantwortung auch für Ereignisse im eigenen Leben, die einem widerfahren und dessen Opfer man zu sein scheint – verbunden mit der Unterstellung, am Zustandekommen dieser Ereignisse selbst (unbewußt) beteiligt zu sein;
4. Selbsterfahrung als Lebenshaltung: die Tendenz, auch schwierigen und leidvollen Erfahrungen und Lebenskrisen einen Sinn abzugewinnen und sie unter dem Aspekt der persönlichen Reifung zu interpretieren;
5. das Denken in psychosomatischen Zusammenhängen, auch beim Umgang mit eigenen Krankheiten;
6. eine Abneigung und Unbeholfenheit im Umgang mit Themen wie Geld, Struktur, Macht, Institution, Organisation;
7. intensiver Wunsch nach ehrlichen zwischenmenschlichen Beziehungen und intensiven, tiefgehenden Kontakten und Begegnungen, verbun-

den mit der Bereitschaft und der Fähigkeit, sich authentisch auszudrücken und empathisch zuzuhören, häufig auch zu seinen Bedürfnissen zu stehen und alle Konflikte darüber auszutragen; die gesteigerte Begegnungsfähigkeit geht nicht immer mit einer gesteigerten Beziehungsfähigkeit (im Sinne von dauerhaften Bindungen) einher;
8. Vorrang des Persönlichen in politischen Belangen, häufig verbunden mit einem »schlechten« Gewissen bezüglich des eigenen Beitrags zum Aufbau einer guten Gesellschaft.«

Ruth C. Cohn ist sowohl eine Pionierin als auch eine engagierte Kritikerin der Humanistischen Psychologie und Pädagogik. Sie ist stark beeinflußt von dieser historisch wichtigen Richtung. Zugleich hatte sie stets die innere Freiheit, psychoanalytisches Basiswissen in ihre Methode zu integrieren, Einseitigkeiten und Übertreibungen der Humanistischen Psychologie klar und deutlich zu benennen und systemische Sichtweisen zu formulieren, lange bevor der Ansatz der Systemischen Therapie als solcher formuliert wurde.

Der besondere Beitrag Ruth Cohns zur Humanistischen Psychologie und Pädagogik ist die Entwicklung eines pädagogischen Gruppenkonzepts, das die Arbeit an Beziehungen und Sachthemen gleichermaßen ernst nimmt. Sie geht damit weit über das Anliegen der Einzel- und Gruppentherapie hinaus, denn sie eröffnet durch die Themen- und Aufgabenzentriertheit ihrer Methode Menschen einen Weg, die sich in ihrem jeweiligen privaten oder beruflichen Betätigungsfeld für ein humaneres Miteinander einsetzen wollen.

Zur Tat befreien – Gesellschaftspolitisches Anliegen der TZI

Mit der Themenzentrierten Interaktion will Ruth C. Cohn das Bewußtsein vieler Menschen sowohl für ihre innere Wirklichkeit als auch für die äußere gefährdete Welt schärfen.

Ruth Cohn schreibt dazu: »...TZI war für mich von Anfang an der Ausdruck einer Idee, daß es doch so etwas geben müsse, was wir mitten im Grauen der Welt tun könnten – ihm etwas entgegenzusetzen, kleine Schritte, kleine, winzige Richtungsänderungen (...) Ich hatte den Wunsch, eine Bewußtwerdung – wie die Analyse sie einzelnen Menschen ermöglichte – vielen Leuten zugänglich zu machen, und vor allem, Kinder und Eltern zu erreichen (...) Ich habe damals geglaubt und glaube auch heute, daß menschliche Grausamkeit kein unanfechtbares Naturgesetz ist, sondern eher eine noch nicht gebrochene Kette von Frustrierung und Dagegenschlagen. Ich glaube nicht, daß es ein Naturgesetz ist, daß Flüchtlinge ins Meer geworfen werden und Millionen von Kindern verhungern sollen.«

»Es geht um Werte«

In den Axiomen, den Prinzipien und den Methoden der TZI ist das Politische als Dimension menschlicher Existenz nicht nur mit enthalten, es wird sogar besonders hervorgehoben. Die Themenzentrierte Interaktion will gesellschaftsverändernd wirksam sein. Damit ist sie nicht wertneutral; im Gegenteil, sie basiert explizit auf der Werthaltung eines humaneren Lebens in einer menschlicheren Welt.

Politische Verantwortung durch kleine Schritte

Jeder einzelne Mensch ist dazu aufgefordert, entsprechend seiner jeweiligen Fähigkeiten einen Beitrag auf dem Weg zu einer humaneren Welt zu leisten, sowohl durch individuelles als auch gesellschaftspolitisches Engagement. Dabei sind es vor allem die konsequent durchgehaltenen kleinen Schritte, die die großen Veränderungen bewirken. Einige seien an dieser Stelle stichwortartig genannt: verpackungsarm und saisonbedingt einkaufen, sich gesund ernähren, den eigenen Müll trennen, wenn möglich öffentliche Verkehrsmittel und das Fahrrad anstatt das Auto zu benutzen, sich in einer Bürgerinitiative oder Partei engagieren, in einer Menschenrechtsorganisation oder Ökologiegruppe mitarbeiten, die Kindererziehung zu einer partnerschaftlichen Angelegenheit von Frau und Mann zu machen, sich über die Ursachen der globalen Krisen informieren, mit Konflikten konstruktiver umgehen lernen, an politischen Aktionen teilnehmen, Therapie in Anspruch nehmen, um sich selbst besser zu verstehen und handlungsfähiger zu werden, die männlichen und weiblichen Anteile der Sprache gleichberechtigt benutzen, den Gesamtkonsum im Geiste der freiwilligen Einfachheit einschränken, eine Identität aufbauen, die nicht auf das Erwerbsleben fixiert ist, sich für gesellschaftliche Minderheiten und diskriminierte Menschen einsetzen.

Diese Aufzählung ließe sich beliebig fortsetzen; entscheidend ist nicht die »Größe« eines einmaligen Schrittes, sondern die Kontinuität vieler kleiner Aktionen. In dem Maße, in dem eine immer größer werdende Anzahl von Menschen einen Richtungswechsel einfordert und diesen im Rahmen ihrer Möglichkeiten auch umsetzt, werden gesellschaftliche Veränderungen unumgänglich.

> Das Gebot der Stunde: Widerstand leisten gegen »Zuvielisation«.
> *Ruth C. Cohn*

TZI als Orientierungshilfe

Die Themenzentrierte Interaktion kann eine wichtige Orientierungshilfe sein, wenn es darum geht, die Richtung der einzelnen Schritte herauszufinden. Der entscheidende Kompaß ist die Wertgebundenheit der TZI, die in besonderer Weise in den Axiomen zum Ausdruck kommt. Damit gewinnt die TZI nicht nur für die Gruppenarbeit, sondern auch für das alltägliche Handeln eine besondere Bedeutung.

Wie die Themenzentrierte Interaktion Menschen auf dem Weg der vielen einzelnen Schritte begleitet und ermutigt, soll an den nachfolgenden Beispielen gezeigt werden:

- Stärkung der Eigenständigkeit der einzelnen im Gruppenprozeß – z. B. gegen Solidaritäts- und Konformitätsdruck. Dazu gehört auch die Förderung der Bereitschaft, die Verantwortung für sich selbst zu übernehmen (vgl. Chairperson-Postulat). Wenn also die Situation nicht so ist, wie ich sie haben will, was mache ich? Wie schaffe ich Veränderung? Welche Konsequenzen bin ich bereit zu tragen?
- Einübung in eine konstruktive Streitkultur und Konfliktlösung. TZI kann dabei helfen, die eigenen Aggressionen und zerstörerischen Tendenzen zu sehen, zu verstehen und mit ihnen besser umzugehen.
- Einübung in funktionelle Gruppenleitung, d. h. Abbau von hierarchischen Leitungsstrukturen und Förderung eines partnerschaftlichen Umgangs. Zu dieser Demokratisierung trägt bei, daß die Gruppenleitenden gleichzeitig auch Teilnehmende sind und daß die Leitungsfunktion grundsätzlich von jedem Gruppenmitglied wahrgenommen werden kann. In diesen Zusammenhang gehört auch immer wieder neu das Ringen um Konsens in einer TZI-Gruppe.

- Förderung des Bewußtseins von Autonomie (Eigenständigkeit) und Interdependenz (Angewiesensein), so daß die menschlichen Entscheidungsspielräume größer und Grenzen deutlicher werden.
- Entwicklung eines persönlichen Zugangs zu gesellschaftspolitischen Themen.
- Konfrontation mit den eigenen Allmachtphantasien (»ich muß die Welt ändern, und das heute noch«) bzw. den eigenen Ohnmachtsphantasien (»durch mich verändert sich auf dieser Welt sowieso nichts«) und statt dessen Einsicht in die Realität. Ruth Cohn prägte dazu folgenden Satz: »Ich bin nicht allmächtig, ich bin nicht ohnmächtig, ich bin partiell mächtig.«
- Mut zur Beschäftigung mit den Schattenthemen, die persönliches und politisches Engagement begleiten. Denn jedes »Zuviel des Guten« kann umschlagen in moralische Überlegenheit, missionarische Arroganz usw., wenn es unreflektiert bleibt. Dies wiederum schafft persönliche Distanz und schwächt das politische Anliegen.

Die Entwicklung eines stärkeren politischen Bewußtseins gekoppelt mit einem ausgeprägten Verantwortungsgefühl ist die Basis für gesellschaftsverändernde Aktivität. Der Wandel des eigenen Bewußtseins ist ein schwieriger und mühevoller Weg, der nicht von heute auf morgen gegangen werden kann. Es sind die immer wiederkehrenden und konkreten Schritte im

Alltag, die eine Veränderung bewirken, und dazu ist ein langer Atem nötig.

Angesichts des Ausmaßes der globalen Krisen erscheinen diese kleinen, oft unscheinbaren Schritte wie ein Tropfen auf den heißen Stein. Dennoch gibt es keine Alternative, denn nur wenn viele Menschen den Mut und die Kraft zu den kleinen Schritten finden, werden sich auch die gesellschaftlichen Strukturen verändern, in denen wir leben.

Die Zeit drängt

Eine wichtige Frage ist noch offen: Haben wir überhaupt noch genügend Zeit für diese vielen persönlichen Bewußtseinsveränderungen und die »Politik der kleinen Schritte«?

Für Ruth Cohn ist die Frage nach der Zeit ein Dilemma, das sie wie folgt in Worte faßt:

»Das ist sicher auch mein größtes Problem: ich weiß, daß aller Wahrscheinlichkeit nach die Zeit nicht reichen wird, um selbst mit vielen kleinen und guten Ansätzen die katastrophale Destruktion der Erde zu verhindern. Ich weiß aber wirklich keinen andern Weg als den der kleinsten Schritte: mit Freude und mit Demut. Auch im kleinsten Schritt in Richtung der Humanität ist etwas gewonnen – wenigstens im Hier-und-Jetzt, z. B. für ein Kind oder einen Betrieb. Zudem weiß ich, daß die Wahrscheinlichkeitsrechnung in meinem Kopf falsch sein kann und daß sehr viel mehr zu retten sein mag und in eine bessere Richtung führen kann, als ich es jetzt sehe.«

Genial einfach und hohe Kunst zugleich – Würdigung der TZI

Die Themenzentrierte Interaktion ist ein genial einfaches und zugleich höchst anspruchsvolles Gruppenverfahren. Auf den ersten Blick erscheint das TZI-Konzept leicht verständlich und einfach umzusetzen. Dies mag mit der überschaubaren Anzahl von grundlegenden Annahmen zusammenhängen, aber auch mit den »Selbstverständlichkeiten«, die in den Axiomen der TZI zum Ausdruck kommen. In der Tat überzeugt die Themenzentrierte Interaktion durch die Einfachheit und Plausibilität ihrer inhaltlichen Systematik. Insbesondere die Postulate und die Kommunikationshilfen werden in diesem Zusammenhang gerne von Menschen zitiert, die nur einen kurzen Blick auf die TZI geworfen haben. Wer die TZI jedoch auf diese Handlungsprinzipien reduziert darstellt, der hat die Einfachheit gründlich mißverstanden. Wir bezeichnen die TZI daher gerne als Kunst, denn auf den zweiten Blick wird deutlich, welche Komplexität und Tiefe die Themenzentrierte Interaktion beinhaltet. Bei der TZI geht es um die Fähigkeit, die Spannung zwischen humanistischen Idealen und alltäglicher Wirklichkeit auszuhalten und kreative Wege zu finden, das jeweils Bestmögliche in die Tat umzusetzen.

Die Themenzentrierte Interaktion begeistert uns in unserer theoretischen und praktischen Beschäftigung mit Gruppen immer wieder neu. Wir haben daher die Essenz der TZI in zehn Aspekten formuliert, die gleichzeitig die Basis und die Richtschnur unserer pädagogischen Arbeit sind.

1. **TZI ist die Kunst, sich selbst zu leiten.**
   Dieses Prinzip der Selbstverantwortung beinhaltet die Fähigkeit, die eigenen Handlungsspielräume sehen und gestalten zu können.
2. **TZI ist die Kunst, eine Gruppe zu leiten.**
   TZI-Gruppenleitung meint, sowohl die unterschiedlichsten Leitungsfunktionen wahrzunehmen als auch sich selbst als gleichberechtigtes Gruppenmitglied aktiv einzubringen.
3. **TZI ist die Kunst, ganzheitlich zu denken und zu handeln.**
   Im System der TZI werden Gegenpole nicht als Widersprüche, sondern als Spannungspole betrachtet, die einander ergänzen und bereichern.
4. **TZI ist die Kunst des dynamischen Ausbalancierens.**
   In der TZI sind alle vier Faktoren (Ich, Wir, Es, Globe) gleich wichtig und werden immer wieder neu in Balance gebracht.
5. **TZI ist die Kunst, aus nüchternen Sachverhalten menschlich ansprechende Themen zu machen.**
   Themenformulierung und Themeneinführung in

der TZI ermöglichen, einen persönlichen Bezug zum Lernstoff bzw. zur gemeinsamen Aufgabe zu finden.

6. TZI ist die Kunst, geeignete Strukturen für die Themen zu finden.

TZI arbeitet mit einem Wechsel der unterschiedlichsten methodischen Arbeitsformen, die für alle Beteiligten transparent sind.

7. TZI ist die Kunst, lebendig miteinander zu lernen.

TZI betont die Wichtigkeit einer sorgfältigen Vorplanung, den wertschätzenden Umgang miteinander und das Offensein für das Potential der jeweiligen Gruppe.

8. TZI ist die Kunst, wahrzunehmen und anzunehmen, was gerade ist.

TZI nimmt die Realität, so wie sie gerade ist, ernst und schafft die Voraussetzungen, um auch mit »Störungen« und Schattenthemen konstruktiv umzugehen.

9. TZI ist die Kunst, die politische Wirklichkeit in den Blick zu nehmen.

TZI ist ein humanistischer Ansatz, der gesellschaftspolitisches Bewußtsein entwickelt und Verantwortungsgefühl fördert.

10. TZI ist immer auch Lebenskunst.

Die Gedanken der TZI enthalten Lebensweisheiten, daher sind sie nicht nur in der Arbeit mit Gruppen wirksam, sondern sie können auch die alltägliche Lebensgestaltung inspirieren.

Wer die Ganzheitlichkeit des TZI-Konzepts ernst nimmt, wird nicht überrascht sein, bei aller Genialität auch Aspekte zu finden, die Anlaß zur kritischen Weiterentwicklung geben. In den weiterführenden Literaturhinweisen haben wir diejenigen Veröffentlichungen zusammengestellt, die sich ausführlich mit einer kritischen Bestandsaufnahme der TZI befassen. Für unsere pädagogische Arbeit mit Gruppen sind insbesondere die folgenden drei Aspekte relevant:

1. Ermutigung zur Polarität

In ihren Ausführungen zur Themenzentrierten Interaktion weist Ruth C. Cohn auf die Notwendigkeit hin, Gegenpole im Leben wahrzunehmen, zu beachten und einzubeziehen. Licht ist nicht denkbar ohne Dunkelheit, das Leben nicht ohne den Tod, Gott nicht ohne den Teufel. Es gehören zusammen: Ja und Nein, Anspannung und Entspannung, Frau und Mann, Gut und Böse, Reden und Schweigen, Arbeit und Muße – die Liste ist unendlich fortsetzbar, denn sie umfaßt sämtliche Begriffspaare, mit denen wir das Leben in Worte fassen.

Das Polaritätsprinzip ist in der Theorie unmittelbar einleuchtend – mehr noch: das Polaritätsprinzip beschreibt unsere Sehnsucht nach Ganzheitlichkeit. Dies ist der Grund, warum die Themenzentrierte Interaktion für viele Menschen ein höchst attraktives Gruppenverfahren ist. Wird die Ganzheitlichkeit jedoch sinnlich und konkret erlebbar, indem neben den gewünscht-erfreulichen auch die unerwünscht-unerfreulichen Seiten des Miteinanders offenbar werden, regt sich schnell Widerstand. Das verbindende »Sowohl-als-Auch« verwandelt sich in ein trennendes »Entweder-Oder«, denn uns fehlt allzu oft die Bereitschaft, zu den Schattenseiten des Lebens – bei anderen und auch bei uns – zu stehen. Wir vermissen in diesem Zusammenhang im System der TZI Anregungen, Hilfestellungen und praktische Anleitungen, wie es gelingen kann, auch die ungeliebten Pole in unser Leben und in die Arbeit mit Gruppen zu integrieren.

In unserer Gruppenarbeit ermutigen wir die Teilnehmenden, sich umfassend mit dem Polaritätsprinzip zu beschäftigen, auch auf die »Gefahr« hin, daß es sich zu einem zentralen Lebensthema entwickelt. Die Einheit der Wirklichkeit in ihrer ganzen Tiefe zu begreifen, ist eine lohnende Herausforderung und spirituelle Lebensaufgabe zugleich.

2. Ermutigung zur Nicht-Balance

In der Themenzentrierten Interaktion wird zu Recht großer Wert auf die dynamische Balance gelegt. Wie im alltäglichen Leben kann es aber auch in der Gruppenarbeit längere Phasen der Nicht-Balance geben, die durchgehalten werden müssen, damit sich etwas Neues entwickeln kann. Insbesondere wenn es darum geht, anspruchsvolle Sachverhalte zu durchdringen, wird in einer TZI-geschulten Gruppe schnell der Ruf nach Themen und Strukturen laut, die das »Ich« oder das »Wir« wieder in den Vordergrund rücken. Und auch die Gruppenleitenden sind häufig vorschnell bereit, zu »Wohlfühlthemen« überzuwechseln, weil sie dem Ideal der dynamischen Balance in jedem Fall gerecht werden wollen.

In den verschiedenen Gruppen, die wir leiten, machen wir immer wieder die Erfahrung, daß die Gruppenmitglieder aufbegehren, wenn es beispielsweise über einen längeren Zeitraum darum geht, sich theoretische Sachverhalte anzueignen. Im Nachhinein wird häufig gerade diese Zumutung von der Gruppe als zugemutete Herausforderung verstanden und ausgesprochen positiv bewertet.

3. Ermutigung zum Humor

Die Themenzentrierte Interaktion ist ein seriöses, fundiertes und ausgesprochen ernstzunehmendes Gruppenverfahren – die praktische Umsetzung und auch theoretische Abhandlungen lassen keinen Zweifel daran. An keiner Stelle in den Veröffentlichungen zur TZI wird auf die zentrale Bedeutung von Humor für das Gelingen lebendiger Lern- und Arbeitssituationen hingewiesen. Auch die Vereins- und Gremienarbeit des TZI-Fachverbandes ist durchzogen von übertriebener Ernsthaftigkeit, die erst nach getaner Arbeit bei einem Glas Wein ausgedient hat.

Den Humor als unschätzbare Kraftquelle haben

wir außerhalb der TZI-Szene kennen und schätzen gelernt. In den unterschiedlichsten Zusammenhängen war und ist es der Humor, der unsere menschlichen Schrulligkeiten, Kantigkeiten und Kleinlichkeiten in ein erträgliches Licht taucht. Mit Humor bekommen wir den nötigen Abstand zu unseren menschlichen Unzulänglichkeiten. In der Gruppenarbeit sind es gerade die spaßigen, spielerischen und lustvollen Momente, die der Zusammenarbeit die nötige Würze geben. Wenn Leitende und Teilnehmende die Fähigkeit kultivieren, über eigene Unvollkommenheiten und Fehler zu lachen und sich selbst nicht zum Maßstab der Dinge zu erheben, entsteht ein Freiraum jenseits von verkniffenem Ehrgeiz und verkrampfter Anstrengung.

Seit wir die Themenzentrierte Interaktion Mitte der achtziger Jahre kennengelernt haben, ist sie die Basis unserer pädagogischen Gruppenarbeit. Sie hat sich als Kompaß für ein menschlicheres Miteinander in den unterschiedlichsten Lern- und Arbeitsgruppen bewährt. Keine andere Methode benennt die Grundlagen pädagogischer Gruppenarbeit so klar und prägnant und ist gleichzeitig offen für eine individuelle Ausgestaltung des jeweiligen Themas und der Gruppensituation. Die TZI ist eine pädagogische Basisqualifikation, die in der Lage ist, Menschen anzuregen, sich immer wieder neu auf das Abenteuer ganzheitlichen Lernens und Lehrens einzulassen.

Was Friedemann Schulz von Thun in einem Gespräch mit Ruth C. Cohn zusammenfassend über sie als Person sagt, gilt in gleicher Weise auch für die Themenzentrierte Interaktion. Sie kann »unsere Selbstverhinderer zum Teufel schicken und uns zur Tat befreien!«

Inge macht sich auf den Weg – oder: TZI ist einfacher gesagt als getan!

Mittwochmorgen, 8.30 Uhr. Gut gelaunt und etwas früher als gewöhnlich erscheint Inge an ihrem Arbeitsplatz in der Volkshochschule. Sie brennt darauf, ihrer Kollegin Gitta von den Eindrücken und Erfahrungen zu erzählen, die sie im TZI-Kurs gemacht hat. Enttäuscht stellt sie fest, daß in der Volkshochschule noch niemand anwesend ist, und so geht sie in ihr Büro. Auf ihrem Schreibtisch wartet ein unübersehbarer Stapel neuer Papiere, doch entgegen ihrer Gewohnheit, sofort mit der Arbeit zu beginnen, kocht sie erst einmal eine große Kanne Kaffee. Auch die Blumen müßten mal wieder gegossen werden, denkt Inge, und während sie die Gießkanne mit Wasser füllt, hört sie die Schritte ihres Chefs im Flur. Mit einem energischen »Guten Morgen, Frau Weller – schön, daß sie wieder im Lande sind. Sie hatten sicher ein paar angenehme Tage!« betritt er das Zimmer. Inge grüßt zurück, doch bevor sie noch etwas hinzufügen kann, redet Herr Dietz schon weiter: »Na, haben Sie schon die Unterlagen durchgesehen, die ich Ihnen auf den Schreibtisch gelegt habe? Sie wissen ja, die Ausschreibungstexte in der roten Mappe müssen bis spätestens Freitag erledigt werden. Aber wie ich Sie kenne, schaffen Sie das schon.« Inge bietet ihrem Chef eine Tasse Kaffee an, doch dieser lehnt dankend ab und verschwindet in seinem Zimmer.

Zwischenzeitlich ist auch ihre Kollegin Regina gekommen. Diese grüßt Inge nur kurz und macht sich sofort an die Erledigung dringender Telefonate. Endlich betritt Gitta die Büroräume, die Kollegin, mit der Inge sich am besten versteht. »Hallo Inge, Du hast ja Kaffee gekocht. Wie passend, heute Morgen ist nämlich schon wieder so viel passiert, daß ich noch keine Zeit zum Frühstücken hatte. – Aber berichte Du doch erst einmal von Deinem Kurs!«

Die beiden Frauen setzen sich, und Inge erzählt mit großer Begeisterung von dem Ablauf des Kurses, von den Gruppenleitenden und den neuen Menschen, die sie dort kennengelernt hat. »Am meisten hat mich die Umgangsweise beeindruckt, die in diesem Kurs herrschte. Ich habe mich zu jeder Zeit sehr ernst genommen und akzeptiert gefühlt und fand es faszinierend, mit welcher Selbstverständlichkeit und Unaufdringlichkeit Bernhard und Mira die Gruppe leiteten.«

»Das klingt ja alles ganz schön«, unterbricht Gitta sie, »aber ich weiß immer noch nicht, was denn jetzt eigentlich TZI ist«.

»So ganz genau ist mir das auch noch nicht klar«, gibt Inge zu, »aber es hat auf jeden Fall etwas mit der Atmosphäre zu tun, die während der Seminartage herrschte. Es wurde zum Beispiel immer wieder nachgefragt, was wir eigentlich selbst wollen. Gleich zu Beginn des TZI-Kurses wurde abgeklärt, ob wir lieber mit ›Du‹ oder ›Sie‹ angesprochen werden möchten. Auch hätte ich gar nicht gedacht, daß das Arbeiten an dem Kursthema ›Hilfe, ich bin überfordert!‹ so viel Freude machen kann. Wir haben nämlich nicht auf einer theoretischen Ebene an dem Thema gearbeitet, sondern immer wieder den Bezug zu uns hergestellt. Vieles ist mir dabei über mich selbst klargeworden, und ich habe große Lust bekommen, da weiterzumachen.«

Inge gerät regelrecht ins Schwärmen und berichtet ausführlich über weitere Einzelheiten des Kurses. Gitta hört ihr aufmerksam zu und fragt schließlich: »Was mir überhaupt noch nicht einleuchtet, ist, wie denn TZI für unsere Arbeit hier hilfreich sein kann?«

»Da kann ich Dir gleich eine Episode von heute morgen erzählen. Statt daß unser lieber Chef mich mal fragt, was ich denn auf dem Kurs erlebt habe und wie es mir ergangen ist, fällt ihm nichts Besseres ein, als mich an die liegengebliebene Arbeit zu erinnern. Alles, was nicht direkt mit Volkshochschule zu tun hat, interessiert ihn nicht. Ich muß ja schon froh sein, wenn er mir einen guten Morgen wünscht.«

»Ja, das kann ich verstehen«, meint Gitta. »Ich würde einen persönlicheren Umgang auch schön finden. Doch weiß ich nicht, wie wir dies – mit oder ohne TZI – erreichen können.«

Draußen öffnet sich eine Türe, und die beiden Frauen verstummen. Kurz darauf betritt Herr Dietz mit einem Stapel Post unter dem Arm das Zimmer.

»Die Damen sind noch immer beim Kaffeetrinken. – Es muß ja viel zu erzählen geben. Aber vergessen Sie mir das Arbeiten nicht. Ich habe schon mal die Post sortiert, es ist auch für Sie beide etwas dabei.« Er überreicht ihnen die Post, und so schnell, wie er gekommen ist, verschwindet er auch wieder. Gitta und Inge tauschen einen vielsagenden Blick aus. »Siehst Du, das meine ich«, sagt Inge erregt, »Persönliches hat hier einfach keinen Platz – kein Wunder, daß wir so ein nüchtern-kühles Arbeitsklima haben«.

»Du hast völlig recht, aber laß uns jetzt mal mit der Arbeit anfangen, sonst bekomme ich wirklich noch ein schlechtes Gewissen«, meint Gitta.

Bis zur Teambesprechung, die am Nachmittag stattfindet, arbeitet Inge konzentriert am Computer und gönnt sich nur eine kurze Mittagspause.

Pünktlich um 14.00 Uhr eröffnet Herr Dietz die Teamsitzung. Förmlich begrüßt er die Anwesenden und verliest die zu besprechenden Tagesordnungspunkte. Wie jedes Mal geht es um die Klärung organisatorischer und konzeptioneller Fragen, die im letzten Monat aktuell geworden sind, und auch heute gibt es wieder sehr viel zu besprechen, so daß Herr Dietz für die einzelnen Tagespunkte nur wenig Zeit einräumt. Verschiedentlich drängt er auf eine schnelle Entscheidung, als sich eine ausführlichere Diskussion anzubahnen beginnt. Inge wird unruhig. Einerseits möchte sie pünktlich Schluß machen, andererseits erlebt sie heute deutlicher als sonst ihre Unzufriedenheit über die unpersönliche und mit Themen vollgeladene Teamsitzung. »Es ist immer dasselbe«, denkt sie, »innerhalb eines Monats hat sich so viel angesammelt, daß wir nichts in Ruhe besprechen können.« Diese Gedanken bewegen Inge während der gesamten Teamsitzung. Am Ende nimmt sie sich ein Herz und schlägt vor, die Teamsitzungen in kürzeren Abständen stattfinden zu lassen, um ruhiger und persönlicher miteinander reden zu können. Ihre Kolleginnen sind von ihrem Vorstoß ein wenig überrascht, und ihr Chef bügelt ihn mit den Worten ab: »Frau Weller, seit Jahren hat sich unsere monatliche Teamsitzung bewährt, und daher sehe ich keinen Grund, hier irgend etwas zu verändern.« Mit einer derart klaren Abfuhr hatte Inge nicht gerechnet, und so schweigt sie bis zum Ende der Besprechung.

Auf dem Weg nach Hause spürt sie ihren Ärger und ihre Resignation. Sie denkt an den TZI-Kurs: »Wie anders war doch der Umgang miteinander dort, und warum ist es ausgerechnet an meiner Arbeitsstelle so schwierig, etwas davon umzusetzen?« Spontan entschließt sie sich, Mira anzurufen.

Mira ist erstaunt, Inges Stimme am anderen Ende der Telefonleitung zu hören: »Mit einem Anruf von

Dir hätte ich nicht gerechnet, aber trotzdem schön, mit Dir zu sprechen.« Inge berichtet von ihrer Unzufriedenheit über den ersten Arbeitstag nach dem TZI-Kurs. Mira hört eine Zeitlang aufmerksam zu und gibt Inge dann eine Rückmeldung: »Ich finde es immer wieder neu bewundernswert, mit wie viel Energie Du an neue Aufgaben herangehst. Das habe ich Dir ja auch schon während des Kurses gesagt. Du willst alles möglichst sofort, doch damit überforderst Du nicht nur Dich, sondern auch die anderen. So, wie Du Deinen Chef beschreibst, ist dies ein Mensch, der klare Strukturen braucht und dem Veränderungen erst einmal Angst machen. Da ist es kein Wunder, daß er autoritär reagiert. Aber was ist denn mit Gitta? Sie scheint Dir doch gut gesinnt zu sein – kannst Du sie nicht für Deine Ideen gewinnen?« Im weiteren Verlauf des Gesprächs wird Inge klar, daß sie in der Teamsitzung mit ihrem Vorschlag einen Alleingang gestartet hat, der von vornherein zum Scheitern verurteilt war. Sie war zu schnell, und ihr fehlte die Rückenstärkung der Kolleginnen. Mira ermutigt sie, an ihren Ideen festzuhalten, in Zukunft jedoch bewußter das Gespräch mit ihren Kolleginnen zu suchen. »Und«, so ergänzt Mira, »erwarte keine Wunder – weder von TZI noch von Dir, noch von Deiner Umgebung. Veränderungen brauchen Zeit und gehen meist nur in kleinen Schritten vor sich, wichtig ist, dranzubleiben.« Sie plaudern noch eine Weile, und nach dem Telefongespräch ist Inge versöhnlicher mit ihrem Chef gestimmt. Sie ist gespannt, was in Zukunft noch passieren wird. Auf jeden Fall ist ihr jetzt schon klar, daß sie bei nächster Gelegenheit wieder einen TZI-Kurs besuchen wird, um für sich selber dazuzulernen und auch Ideen für die Veränderung ihrer Situation am Arbeitsplatz zu bekommen.

In den nächsten zwei Jahren intensiviert Inge ihre Beschäftigung mit TZI. Sie besucht noch zwei weitere Kurse, für die sie sogar extra Urlaub nimmt.

Außerdem schließt sie Kontakt zu den TZI-engagierten Menschen in ihrer Region, die sich in regelmäßigen Abständen treffen. Mit Mira entwickelt sich eine freundschaftliche Beziehung. Die beiden Frauen telefonieren oft miteinander und verbringen auch ab und zu einen gemeinsamen Samstagnachmittag. Als es sich einmal anders nicht einrichten läßt, nimmt Inge ihren Sohn mit zu Mira. Peter freundet sich schnell mit Miras Kindern an, und abends ist es beschlossene Sache, daß Thilo und Henning bei Miras nächstem Gegenbesuch mitkommen werden. So beginnt auch zwischen den Kindern eine Freundschaft, und als das neue TZI-Jahresprogramm herauskommt, macht Mira Inge auf einen Kurs in den Ferien aufmerksam und bietet ihr gleichzeitig an, während dieser Zeit Peter zu sich zu nehmen. Für Inge ist dies wie ein Geschenk, wollte sie doch einerseits gerne den einen und anderen TZI-Kurs besuchen, hatte jedoch andererseits bereits große Bedenken, Peter so oft bei ihren Eltern zu lassen. Als Peter von der Idee erfährt, ist er ganz begeistert, und Inge entschließt sich, das Angebot ihrer Freundin anzunehmen. Gleich am nächsten Tag meldet sie sich zu dem Kurs an mit dem Thema: »Macht und Hierarchie in Institutionen«.

Ein halbes Jahr später ist es soweit. Inge hat schon ein gewisses Maß an Routine entwickelt, was die Vorbereitungen für den Kurs angeht. Das TZI-Seminar findet in einer Tagungsstätte in Süddeutschland statt, so daß es kein allzu großer Umweg ist, Peter bei Mira vorbeizubringen. Dieser ist auch gleich mit Thilo und

Henning im Kinderzimmer verschwunden. So können die beiden Frauen noch in Ruhe eine Tasse Kaffee trinken, bevor sich Inge dann auf den Weg macht. Sie ist neugierig auf den Kurs und auf die Menschen, denen sie begegnen wird. Und sie freut sich schon auf Marianne, die mit ihr im letzten Kurs war und deren Name auch diesmal wieder auf der Teilnehmerliste steht.

Insgesamt fühlt sich Inge mittlerweile recht ausgeglichen, vieles geht ihr leicht von der Hand, und selbst über die Probleme am Arbeitsplatz kann sie gelassen nachdenken. In dieser gelösten Stimmung erlebt sie auch den Einstieg ins Seminar. Die Sitzordnung im Stuhlkreis ist ihr schon sehr vertraut. Selbstbewußt sucht sie sich den Platz neben der Leiterin aus. Von hier aus blickt sie mit offenem Gesicht in die Runde. Inge registriert eine leichte Aufregung in der Stimme der Leiterin Bettina, als diese zu sprechen beginnt; sie nimmt ebenfalls bei einigen anderen Gruppenteilnehmenden deutliche Zeichen von wachsender Unruhe während der Vorstellungsrunde wahr. Jochen, der Leiter, wird sogar ein wenig rot, als er zum ersten Mal das Wort ergreift. Aus einem Gefühl heraus, dies alles zu kennen, es jedoch bereits hinter sich gelassen zu haben, bleibt Inge ruhig und genießt ihre Selbstsicherheit.

Die Gruppe wird von Bettina und Jochen zu einer intensiven Arbeit am Thema angeleitet. Durch Phantasiereisen, Malübungen und einen Austausch in Kleingruppen werden die einzelnen angeregt, sich ihre jeweilige Situation am Arbeitsplatz vorzustellen und eine Vision von dem zu entwickeln, was sie verändern möchten und wie sie dabei vorgehen wollen. Nachdem die Teilnehmenden ihr persönliches Projekt gefunden haben, an dem sie während dieses Seminars arbeiten wollen, schreiben sie es auf eine Karteikarte. Bettina fordert dazu auf, daß einer nach dem anderen seine Karte im Plenum vorliest und sie auf den Boden legt. Gemeinsam ordnen die Teilnehmenden ihre Karten nach Themenschwerpunkten. Um die einzelnen Themenschwerpunkte bilden sich Kleingruppen, die im Anschluß daran zu ihren Themen ein gemeinsames Oberthema formulieren, nicht ohne jedoch dabei genau herauszuarbeiten, wo neben den Gemeinsamkeiten für die einzelnen auch die Unterschiede liegen.

Die Gruppen haben nun die Aufgabe, zu ihrem Oberthema exemplarisch ein Rollenspiel zu erarbeiten, das im weiteren Verlauf des Seminars der Gesamtgruppe vorgespielt werden soll.

Inges anfängliche Gelassenheit weicht während dieser Sitzungseinheiten einer distanzierten Haltung. Sowohl was den Prozeß in der Gruppe als auch die Arbeit am Thema angeht, spürt sie zwar Interesse, kann zu sich selbst jedoch keinen direkten Bezug herstellen. »Das ist ja alles ganz wichtig, was hier bei den anderen passiert«, denkt Inge, »mit meiner jetzigen Situation hat dies aber wenig zu tun«. Es fällt ihr schwer, ihr persönliches Projekt für dieses Seminar präzise zu formulieren. Sie engagiert sich daher auch während der Bildung der Schwerpunktthemen nur zurückhaltend und ist froh, in einer Kleingruppe unterzukommen, die am Thema »Meine Ohnmacht am Arbeitsplatz als Anfang eines neuen Weges« arbeiten will.

Zunächst nimmt sich die Fünfergruppe Zeit für ein Gespräch, in dem sich alle miteinander bekanntmachen und kurz ihre Situation am Arbeitsplatz skizzieren. Erst in einer zweiten Runde wird das Thema »Meine Ohnmacht am Arbeitsplatz« näher beleuchtet. Nacheinander stellen Martin, Inge, Thomas, Marina und Karine eine Arbeitsplatzszene vor, in der sie deutlich ihre Ohnmacht gespürt haben. An jedes einzelne Statement schließt sich eine Phase intensiven Nachfragens an, und zum Schluß einigt sich die Gruppe darauf, die von Martin geschilderte Szene der Gesamtgruppe als Rollenspiel vorzutragen.

Martin ist freier Journalist beim Westdeutschen Rundfunk. Neben den vielen Privilegien, die ihm sein Status als sogenannter »Freier« einbringt, hat er immer wieder um die Urheberrechte an seinen eigenen Beiträgen zu kämpfen. Denn sein Vorgesetzter hängt sich gerne an die erfolgversprechenden Recherchen an, die Martin in den Teambesprechungen vorstellt, und läßt sie nach der Fertigstellung des Beitrags im besten Falle als Co-Produktion erscheinen. Es ist aber auch schon vorgekommen, daß Martins Name überhaupt nicht erwähnt wurde.

Thema des Rollenspiels ist eine Teamsitzung, in der über die Vergabe personeller und finanzieller Unterstützung für zukünftige Projekte diskutiert und entschieden wird. Beteiligt sind Martin und drei fest angestellte Mitarbeiter als Antragsteller für verschiedene Projektideen sowie der Chef, der Martins Recherchen nur für den Fall finanziell unterstützen wird, wenn er selbst die Rechte an dem fertigen Beitrag übertragen bekommt. Die fest angestellten Mitarbeiter, deren Berichterstattung aus thematisch vorgegebenen Gebieten erfolgen muß, neiden dem freien Mitarbeiter dessen breites Themenspektrum und stehen daher in der Diskussion tendenziell auf der Seite ihres Chefs.

Die Verteilung der Rollen geht zügig vonstatten. Martin will sich selbst spielen. Als Karine, Marina und Thomas übereinstimmend die Rolle des Chefs ablehnen, erklärt sich Inge spontan dazu bereit. Ihr erscheint diese Rolle weder besonders reizvoll noch in irgendeiner Weise bedrohlich. Noch immer findet sie sich nicht so ganz in der Thematik ihrer Arbeitsgruppe wieder, aber sie hat Lust auf ein Rollenspiel und kann sich gut auf die Vorbereitung der zu spielenden Szene einlassen.

Die nächsten Sitzungen finden im Plenum statt und sind jeweils der Vorstellung eines Rollenspiels gewidmet. Inges Kleingruppe entschließt sich anzufangen, und Bettina bittet die Zuschauenden, folgende Beobachtungsaufgaben zu übernehmen: »Wer gibt Macht und Verantwortung ab? Und wie offen bzw. verdeckt geschieht dies?« Nachdem sich mindestens zwei Zuschauende verbindlich für die Beobachtung einer Person im Rollenspiel gemeldet haben, gibt Bettina die Bühne frei für Inges Kleingruppe.

Die fünf Mitspielenden bauen einen Tisch und mehrere Stühle auf. Martin und Inge setzen sich einander gegenüber, die drei anderen nehmen ihre Plätze an der Längsseite des Tisches ein. Selbstsicher und mit einer Spur Arroganz eröffnet Inge die Teamsitzung. Mit aufforderndem Blick fragt sie reihum, wie sich die bestehenden Projekte entwickelt haben und ob es neue Projekte gibt. Martin erläutert sein neues Vorhaben – er will einen Beitrag zum Thema »Kinderpornographie« produzieren und legt eine Aufstellung der zu erwartenden Unkosten vor. Während seine Kollegen sich nur zurückhaltend äußern, zeigt sich sein Chef an dem Vorhaben sehr interessiert und beschließt gegen Martins Willen in das Projekt mit einzusteigen. Inge macht es sichtlich Spaß, ihre Interessen immer konsequenter zu vertreten, während Martin in seiner Argumentation zusehends schwächer wird. Doch bevor dieser resigniert und sich aus dem Projekt zurückzieht, lenkt Inge ein. Auf kollegiale Weise ermutigt sie Martin, mit den Recherchen fortzufahren, und stellt auch eine solide Finanzierung in Aussicht. Mit einem vielsagenden Blick auf die Uhr und dem Satz »Alles weitere wird sich zur gegebenen Zeit schon noch regeln, Herr Boes«, verabschiedet sich der Chef und verläßt die Teambesprechung. Martin und seine Kollegen bleiben ratlos und schweigend zurück.

An dieser Stelle schaltet sich Bettina ein und schlägt vor, das Rollenspiel hier abzubrechen. Zunächst haben die Spielenden Gelegenheit, der Gruppe mitzuteilen, wie es ihnen ergangen ist. Inge ergreift als erste das Wort: »Ich bin völlig überrascht, wie viel Spaß es mir gemacht hat, die Rolle des Chefs zu spielen. Und auch jetzt geht es mir richtig gut. Ich fühle mich zum ersten Mal seit Beginn des Seminars innerlich beteiligt und dabei hatte ich mir gar

nichts dabei gedacht, als ich mich für die Chefrolle entschied. Offensichtlich liegt mir das«, fügt sie noch lachend hinzu. Für diese Äußerung erntet sie einen unfreundlichen Blick von Martin, der sich sichtlich unwohl fühlt: »Ich kann mich noch gar nicht aus dem Rollenspiel lösen, ich fühle mich von Dir, Inge, irgendwie überfahren und von Euch dreien jämmerlich im Stich gelassen.« Thomas, Karine und Marina berichten übereinstimmend von einem »Statistengefühl« während des Rollenspiels; alle drei sind sich ziemlich überflüssig vorgekommen. Jochen bedankt sich für die Mitteilungen und bittet nun das Plenum um Rückmeldung.

Die ersten spontanen Äußerungen aus dem Plenum bestätigen im Großen und Ganzen die Einschätzungen der Spielenden, je nachdem, ob sich die einzelnen eher mit Inge, Martin oder den drei Kollegen identifiziert haben. Darüber hinaus gibt es folgende Beobachtungen: Inge hat sich in ihrer Rolle eindeutig die Macht genommen. Dies geschah vordergründig auf Kosten der anderen, vor allem auf Kosten von Martin. Beim genauen Hinschauen stellt sich jedoch heraus, daß sowohl Martin als auch Inge der entscheidenden Auseinandersetzung aus dem Weg gegangen sind. Beide haben in dem Gespräch alles dafür getan, den unterschwelligen Konflikt verdeckt zu halten, so daß die Situation bis zum Schluß ungeklärt blieb. Im weiteren Verlauf der Sitzung arbeitet die Gruppe vertiefend an dem Phänomen des Wechselspiels zwischen Abgabe von Verantwortung auf der einen Seite und Zunahme von Macht auf der anderen Seite. Inge wird dabei bewußt, wie sehr sie in einem »Entweder-oder«-Denken gefangen ist: »Entweder habe ich als Chef die Macht«, denkt Inge, »oder aber ich bin als Mitarbeiterin abhängig und fühle mich daher ohnmächtig«.

Bettina weist in diesem Zusammenhang auf einen Satz von Ruth Cohn hin: »Ich bin nicht allmächtig, ich bin nicht ohnmächtig – ich bin partiell mächtig.« Dieser Satz wird zum Leitmotiv für die weitere Seminararbeit, bei der sich Inge sehr engagiert. Sie ist endlich bei ihrem Thema angekommen und kann ihre Arbeitssituation in einem neuen Licht sehen. Als Mitarbeiterin in ihrer Volkshochschule steht sie natürlich in einem Abhängigkeitsverhältnis zu ihrem Chef. Dies ist eine Realität, die sie akzeptieren muß. Gleichzeitig ist sie damit aber nicht nur ohnmächtig. Auch als Angestellte verfügt sie über einen Freiheitsspielraum. In dem Moment, in dem sie beginnt, diesen Freiheitsspielraum zu erweitern, muß sie aber auch mit Widerständen und Rückschlägen rechnen. Nach ihrer bisherigen Sichtweise interpretierte sie jegliche Widerstände als Bestätigung der eigenen Ohnmacht und zog sich sofort wieder zurück. Durch die Auswertung des Rollenspiels begreift sie, daß Widerstände, seien es die des eigenen Chefs oder die der Kolleginnen, Teil des Veränderungsprozesses sind. Wenn Inge beispielsweise die Atmosphäre in ihren Teamsitzungen persönlicher gestalten will, dann braucht sie für dieses Vorhaben Ausdauer und auch die Unterstützung ihrer Kolleginnen. Ein einmaliges, kurzfristiges Engagement bringt selten die gewünschte Veränderung – in der Regel sind viele kleine Schritte notwendig, die gut überlegt und mit den anderen abgestimmt sein müssen.

Ähnliche Gedanken hatte ihr Mira ja auch schon einmal bei ihrem ersten Telefonat mitgeteilt – damals, vor fast zweieinhalb Jahren, hatte sie zwar die Worte gehört, innerlich angesprochen fühlt sie sich aber erst heute in der aktuellen Seminarsituation. »So einfach alles auch klingt«, denkt Inge, »TZI ist in der Tat nichts, was ich heute höre und morgen schon problemlos umsetzen kann. Die Beschäftigung mit TZI wird mich auch weiterhin in meiner Persönlichkeit verändern. Ich lerne, mutiger zu der Inge zu stehen, die ich eigentlich bin, und kann mich mehr und mehr von dem Bild verabschieden, wie ich oder andere mich gerne hätten. Dazu brauche ich Menschen, die mich unterstützen, wenn ich mit meinem neuen Profil in meiner gewohnten Umgebung anecke – und diese Menschen habe ich hier gefunden.« Inge fühlt sich bestärkt und ermutigt. Sie hat das Gefühl, auf dem richtigen Weg zu sein, und genießt die restlichen Seminartage in vollen Zügen.

Es ist Freitagmorgen. Das Seminar geht zu Ende. Nacheinander bitten Bettina und Jochen die Gruppe um ein Feedback zum Thema: »Was hat mir an Dir, Deiner Person und Deiner Art zu leiten gefallen bzw. mißfallen?« Das Feedback ist ausführlich und differenziert und nimmt den ersten Teil der Morgensitzung in Anspruch. Jochen, der für die Leitung dieses Kurses eine Empfehlung für seine Ausbildung in Themenzentrierter Interaktion haben möchte, erhält sowohl von der Gruppe als auch von Bettina eine sehr ermutigende Rückmeldung. Er freut sich sehr darüber, denn für ihn ist nun die Ausbildung so gut wie abgeschlossen – er wird bald das »TZI-Diplom« in den Händen halten.

Inge ist fasziniert von der ehrlichen und zugleich kritischen Rückmeldung, die Jochen erhalten hat, und in Gedanken spielt sie durch, wie es ihr wohl ginge, säße sie an Jochens Stelle. Der Gedanke kommt Inge nicht mehr fremd vor – im Gegenteil, sie spürt eine große Bereitschaft, auf dem TZI-Ausbildungsweg weiterzugehen und sich damit auch immer wieder neu auf das Wagnis aufrichtiger Rückmeldungen einzulassen.

Die letzte Seminarsitzung steht unter dem Thema Abschied. Im Plenum haben die Seminarteilnehmenden zum letzten Mal die Gelegenheit, sich unter der Fragestellung: »Ich nehme Abschied – was ich Dir noch sagen will, was ich von Dir noch hören will?« auszutauschen. Inge nutzt diese Gelegenheit, Marianne und Thomas direkt zu fragen, ob sie sich Inge als Leitungsperson vorstellen können. Von beiden erhält sie übereinstimmend die Rückmeldung, daß sie durchaus genügend Potential für eine solche Aufgabe hat, aber auch noch Zeit braucht, um dieses Potential zu entfalten. Inge kann dieses Feedback gut annehmen und bedankt sich bei den beiden.

Das Seminar endet mit einer symbolischen Abschiedsübung. Bettina bittet die Teilnehmenden, sich im Kreis aufzustellen, einen guten Stand zu finden und die Augen zu schließen. In Form einer gelenkten Phantasiereise führt sie die Gruppe an den Anfang des Seminars zurück: »Stell Dir vor, wie Du Dich zu Beginn dieses Seminars gefühlt hast. Du warst allein mit Dir, ohne Verbindung zum Du, zum Wir, zum Thema. Geh jetzt langsam mit geschlossenen Augen in Richtung Mitte. Du bewegst Dich auf das Wir zu, wie Du es im Kurs getan hast. Geh, bis Du Kontakt zu anderen fühlst – spüre und genieße die Begegnung. Löse Dich jetzt aus dem »Wir« und geh langsam wieder zurück an Deinen Platz. Du bist jetzt wieder allein, so allein, wie Du am Anfang des Kurses warst, zugleich aber auch bereichert um die Erfahrungen, die Du mit Dir, den anderen und dem Thema während unserer

gemeinsamen Zeit gemacht hast. Dreh Dich jetzt um und blick auf das, was jetzt vor Dir liegt: Hast Du einen kurzen oder langen Weg nach Hause? Wirst Du dort alleine sein? Gibt es jemanden, der Dich erwartet? Wirst Du Zeit haben, das Seminar in Dir nachklingen zu lassen, oder warten liegengebliebene Arbeiten auf Dich? – Du läßt jetzt endgültig den Kurs hinter Dir. Geh dazu symbolisch ein paar Schritte nach außen.«

Inge hat diese Übung geholfen, sich innerlich vom TZI-Kurs zu lösen, und sie kann sich jetzt gut von den anderen Teilnehmenden persönlich verabschieden.

Wer's lernen will – Anmerkungen zur TZI-Ausbildung

Unter der Dachorganisation des Ruth Cohn Institute for TCI international (früher: WILL-International) haben sich zahlreiche regionale Ausbildungsinstitute in verschiedenen Ländern zusammengeschlossen. In deren jeweiligen Aus- und Fortbildungsangeboten können interessierte Menschen die Themenzentrierte Interaktion erleben und erlernen.

Die einzelnen Kurse dauern im Regelfall fünf Tage und kosten zwischen 250.– EUR und 600.– EUR Kursgebühr. Hinzu kommen die Kosten für Übernachtung und Verpflegung.

Wer sich für eine TZI-Ausbildung entscheidet, orientiert sich an den Richtlinien der Aus- und Fortbildungsprogramme und absolviert die in Frage kommenden Kurse weitgehend in Übereinstimmung mit den individuellen, also berufs-, interessens- und situationsspezifischen Bedürfnissen. Dementsprechend schwankt die Dauer der Ausbildung. Übergeordnetes Ziel der inhaltlichen und zeitlichen Ausbildungsgestaltung der einzelnen Person ist das lebendige Lernen, das sich an der jeweiligen persönlichen und gesellschaftlichen Situation sowie an den Bedürfnissen und Möglichkeiten der einzelnen orientiert.

Für die zertifizierte Grundausbildung wird ein Mindestzeitraum von zwei bis drei Jahren zugrunde gelegt, in denen nach einem Entscheidungsworkshop mindestens 6 TZI-Kurse absolviert werden müssen. Für die Anmeldung zum Zertifikatsworkshop sind außerdem eine Empfehlung aus der Ausbildungsgruppe sowie eine schriftliche Arbeit Voraussetzung.

Die Diplomausbildung in TZI baut auf der zertifizierten Grundausbildung auf. Sie beginnt mit einem Einstiegsworkshop, es folgen mindestens 7 1/2 Kurse, die aus den Bereichen »Persönlichkeit«, »Vertiefung«, »Supervision«, »Krisen« und »andere Gruppenverfahren« zusammengesetzt sein müssen. Hinzu kommt die kontinuierliche, ausbildungsbegleitende Mitarbeit in einer Peer-Gruppe (zum Teil mit Supervision), die Zusammenarbeit mit einem RCI-Lehrbeauftragten im zeitlichen Umfang eines Kurses, eine schriftliche Arbeit über Aspekte aus einem selbst durchgeführten Anwendungsprojekt sowie ein Abschlußworkshop.

Ziel der Diplomausbildung ist es, die während der Grundausbildung erworbenen Kenntnisse und Kompetenzen berufsspezifisch anzuwenden und zu vertiefen. Daneben ist eine erweiterte Beschäftigung mit der Theorie der Themenzentrierten Interaktion auch in bezug auf andere Gruppenleitungsverfahren vorgesehen. Der Schwerpunkt der Diplomausbildung liegt auf dem Erwerb der Fähigkeit, TZI aktiv und kreativ im eigenen Berufsfeld anzuwenden und flexibel auf angrenzende Tätigkeitsbereiche zu übertragen. Die erfolgreiche Absolvierung der einzelnen Ausbildungsschritte führt zum TZI-Diplom und berechtigt, Gruppen nach der Methode der Themenzentrierten Interaktion zu leiten.

An das TZI-Diplom kann nach einigen Jahren praktischer Erfahrung eine Ausbildung zur Erreichung der Lehrbefähigung von TZI (Graduierung) angeschlossen werden.

Das Jahresprogramm und die Ausbildungsrichtlinien können angefordert werden bei:

Ruth Cohn Institute für TZI International
Colmarerstr. 13
CH-4055 Basel
Telefon: 00 41-61-3 85 96 76
Telefax: 00 41-61-3 85 96 75
E-Mail: sekretariat@tzi-forum.com
Internet: www.ruth-cohn-institute.org

Die oben genannte Webseite informiert auch über die Kontaktadressen der Mitgliedervereine in den Ländern: Schweiz, Österreich, Luxemburg, Niederlande, Ungarn, Polen und Indien.

Seit 2003 wird an der Universität Hamburg ein Ruth-Cohn-Archiv aufgebaut. Die Anschrift lautet:

Psychologisches Institut III der Universität Hamburg
Von-Melle-Park 5
20146 Hamburg
E-Mail: ruth-cohn-archiv@uni-hamburg.de
Internet: www.rrz.uni-hamburg.de/ruth-cohn-archiv

Wer's genauer wissen will – Weiterführende Hinweise zu Aspekten der TZI

Für alle diejenigen, die Lust bekommen haben, sich näher mit dem TZI-Konzept zu beschäftigen, haben wir vertiefende Literaturhinweise zu einzelnen Aspekten der Themenzentrierten Interaktion zusammengestellt (zur Zuordnung der Hinweise vgl. die daran anschließenden Literaturempfehlungen).

Was ist TZI?
Cohn, Ruth C./Farau, Alfred (1984), S. 352–375; Matzdorf, Paul/Cohn, Ruth C.: Das Konzept der Themenzentrierten Interaktion. In: Löhmer, C./Standhardt, R. (1992b), S. 39–92; Löhmer, Cornelia/Standhardt, Rüdiger: Wie Gruppenarbeit lebendig wird und lebendig bleibt. In: Karl Kübel Stiftung für Kind und Familie (Hrsg.): Beziehungen leben. Bensheim 1998, S. 65–76; Grün, Hartmut: 9 relevante Aspekte der TZI. Ein TZI-Kompaß für »Ortsfremde«. In: Themenzentrierte Interaktion, 2/1997, S. 49–56.

Ruth C. Cohn
Cohn, Ruth. C.: Tabellarische Lebensübersicht. In: Löhmer, C./Standhardt, R. (1992b), S. 371–374; Cohn, Ruth C./Farau, Alfred (1984), S. 210 ff.; Herrmann, Helga: Ruth C. Cohn – Ein Portrait. In: Löhmer, C./Standhardt, R. (1992b), S. 19–36; Zundel, Edith: Ruth Cohn – Themenzentrierte Interaktion. In: Zundel, E./Zundel, R.: Leitfiguren der Psychotherapie. München: Kösel 1987, S. 66–82.

Axiome
Cohn, Ruth C./Farau, Alfred (1984), S. 357–358; Matzdorf, Paul/Cohn, Ruth C.: Das Konzept der Themenzentrierten Interaktion. In: Löhmer, C./Standhardt, R. (1992b), S. 54–65; Helmut Reiser: TZI als pädagogisches System. In: Reiser, H./Lotz, W. (1995), S. 11–53.

Chairperson-Postulat
Cohn, Ruth C./Farau, Alfred (1984), S. 358–360; Langmaack, Barbara (2004), S. 134–146; Sprenger, Reinhard K.: Die Entscheidung liegt bei Dir! Frankfurt am Main: Campus 1997.

Störungspostulat
Cohn, Ruth C./Farau, Alfred (1984), S. 360–362; Ockel, Anita/Cohn, Ruth C.: Das Konzept des Wider-

stands in der Themenzentrierten Interaktion. In: Löhmer, C./Standhardt, R. (1992b), S. 177–206; Rubner, Eike (1992), Raguse, H.: Was ist Themenzentrierte Interaktion? In: Hahn, K. u. a. (1987), S. 117–143; Langmaack, Barbara (2004), S. 147–168.

Kommunikationshilfen

Cohn, Ruth C./Farau, Alfred (1984), S. 362–365; Langmaack, Barbara (2004), S. 169–197; Stollberg, Dietrich (1982), S. 43–45.

Dynamische Balance

Cohn, Ruth C./Farau, Alfred (1984), S. 352–357; Kroeger, Matthias: Anthropologische Grundannahmen der Themenzentrierten Interaktion. In: Löhmer, C./Standhardt, R. (1992b), S. 93–124; Langmaack, Barbara (2004), S. 48–133.

Leitungsverständnis

Cohn, Ruth C./Farau, Alfred (1984), S. 368–369; Matzdorf, Paul/Cohn, Ruth C.: Das Konzept der Themenzentrierten Interaktion. In: Löhmer, C./Standhardt, R. (1992b), S. 83–86; Hahn, Karin u. a. (2001); Rubner, Angelika/Rubner, Eike: Die Entwicklungsphasen einer Gruppe. In: Löhmer, C./Standhardt, R. (1992b), S. 230–251, Langmaack, Barbara (2004), S. 198–213.

Struktur–Prozeß–Vertrauen
Matzdorf, Paul/Cohn, Ruth C.: Das Konzept der Themenzentrierten Interaktion. In: Löhmer, C./Standhardt, R. (1992b), S. 81–83; Stollberg, Dietrich (1982), S. 40–41; Reiser, H./Lotz, W. (1995), S. 142–146.

Umgang mit dem Schatten
Stollberg, Dietrich (1982), S. 20–50; Stollberg, Dietrich: Vermeidungen in der Themenzentrierten Interaktion. In: Hahn, K. u. a. (1987), S. 101–116; Stollberg, Dietrich: TZI zwischen humanistischen Idealen und psychosozialer Wirklichkeit. In: Themenzentrierte Interaktion, 5 (1991) 2, S. 23–31; Stollberg, Dietrich: Wo viel Licht ist, ist viel Schatten. Zum Begriff des Schattens in der TZI. In: Löhmer, C./Standhardt, R. (1992b), S. 207–217.

Humanistische Psychologie und Pädagogik
Cohn, Ruth C./Farau, Alfred (1984), S. 271–278, 436–443; Langmaack, Barbara (2004), S. 28–38; Quitmann, Helmut: Humanistische Psychologie. Göttingen: Hogrefe 1985.

Gesellschaftspolitisches Anliegen
Cohn, Ruth C./Farau, Alfred (1984), S. 334–490; Ockel, Anita/Cohn, Ruth C.: Das Konzept des Widerstands in der Themenzentrierten Interaktion. In:

Löhmer, C./Standhardt, R. (1992b); Cohn, Ruth C./Klein, Irene (1993); Cohn, Ruth C./Schulz von Thun, Friedemann: Wir sind Politiker und Politikerinnen – wir alle! In: Standhardt, R./Löhmer, C. (1994), S. 30–62; Standhardt, Rüdiger/Löhmer, Cornelia (1994).

Kritische Würdigung

Raguse, Hartmut: Kritische Bestandsaufnahme der TZI. In: Löhmer, C./Standhardt, R. (1992b): S. 264 bis 277; Löhmer, Cornelia/Standhardt, Rüdiger: Theorievermittlung in der TZI-Ausbildung. In: Löhmer, C./Standhardt, R. (1992b), S. 252–263; Lührmann, Wolfgang: Ach Teezettieh. Anmerkungen zur persönlichen Bedeutung und zur institutionellen Krise der Themenzentrierten Interaktion. In: Themenzentrierte Interaktion, 1/2000, S. 99–110; Vopel, Klaus W.: Ein Update für die TZI. In: Themenzentrierte Interaktion, 2/2000, S. 69–83, Stollberg, Elfi: Was ist »TZI« an der TZI? In: Themenzentrierte Interaktion, 2/2002, S. 40–48; Stollberg, Dietrich: Zum aktuellen Stand der TZI. In: Langmaack, B. (2004), S. 277–281.

Wer weiter lesen will – Literaturempfehlungen zur TZI

Nachfolgend geben wir einen Überblick über grundlegende Bücher zur Themenzentrierten Interaktion. Aus der umfangreichen Fachliteratur zur TZI empfehlen wir einerseits die beiden Veröffentlichungen von Ruth C. Cohn *Von der Psychoanalyse zur Themenzentrierten Interaktion und Gelebte Geschichte der Psychotherapie,* andererseits das Grundlagenwerk von Barbara Langmaack *Einführung in die Themenzentrierte Interaktion* sowie den von uns selbst herausgegebenen Sammelband *Zur Tat befreien,* in dem das gesellschaftspolitische Anliegen der TZI ausführlich zur Sprache kommt.

Belz, Helga (Hrsg.) (1988): Auf dem Weg zur arbeitsfähigen Gruppe. Kooperationskonzept von Helga Belz – Prozeßberichte aus TZI-Gruppen, 2. Auflage 1992. Mainz: Grünewald.

Birmelin, Rolf/Hahn, Karin/Schraut-Birmelin, Marianne/Schütz, Klaus-Volker/Wagner, Christel (Hrsg.) (1985): Erfahrungen lebendigen Lernens. Grundlagen und Arbeitsfelder der TZI, 2. Auflage 1990. Mainz: Grünewald.

Buschmann, Mechthild/Kröner, Sabine (Hrsg.) (2000): TZI bewegt – bewegende TZI. Neue Wege bewegungszentrierter Gruppenarbeit in Weiterbildung und Sozialarbeit mit Frauen. Mainz: Grünewald.

Cohn, Ruth C. (1975): Von der Psychoanalyse zur Themenzentrierten Interaktion. Von der Behandlung einzelner zu einer Pädagogik für alle, 15., erweiterte Auflage 2004. Stuttgart: Klett-Cotta.

Cohn, Ruth C./Farau, Alfred (1984): Gelebte Geschichte der Psychotherapie. Zwei Perspektiven, 3. Auflage 1999. Stuttgart: Klett-Cotta.

Cohn, Ruth C. (1989): Es geht ums Anteilnehmen... Perspektiven der Persönlichkeitsentfaltung in der Gesellschaft der Jahrtausendwende, 2., erweiterte Auflage 1993. Freiburg i. Br.: Herder.

Cohn, Ruth C./Klein, Irene (1993): Großgruppen gestalten mit Themenzentrierter Interaktion. Ein Weg zur lebendigen Balance zwischen Einzelnen, Aufgaben und Gruppe. Mainz: Grünewald.

Cohn, Ruth C./Terfurth, Christina (Hrsg.) (1993): Lebendiges Lehren und Lernen. TZI macht Schule, 4. Auflage 2001. Stuttgart: Klett-Cotta.

Deutsche Gesellschaft für Humanistische Psychologie (Hrsg.): Festschrift für Ruth C. Cohn. In: Zeitschrift für Humanistische Psychologie, 3 (1980) 4.

Genser, Burkhard/Vopel, Klaus W./Buttgereit, Peter/Heinze, Burger (1972): Lernen in der Gruppe. Theorie und Praxis der Themenzentrierten Interaktionellen Methode. Hamburg: Arbeitskreis für Hochschuldidaktik.

Hahn, Karin/Schraut-Birmelin, Marianne (Hrsg.) (1987): Gruppenarbeit: themenzentriert. Entwicklungsgeschichte, Kritik und Methodenreflexion, 2. Auflage 1993. Mainz: Grünewald.

Hahn, Karin/Schraut, Marianne/Schütz, Klaus-Volker/Wagner, Christel (Hrsg.) (1991): »Beachte die Körpersignale...« Körpererfahrung in der Gruppenarbeit, 2. Auflage 2000. Mainz: Grünewald.

Hahn, Karin (Hrsg.) (1994): Aggression in Gruppen. Mainz: Grünewald.

Hahn, Karin/Schraut, Marianne/Schütz, Klaus-Volker/ Wagner, Christel (Hrsg.) (2001): Kompetente LeiterInnen. Beiträge zum Leitungsverständnis nach TZI. Mainz: Grünewald.

Keese, Henning (1996): Humane Arbeitswelt in profitorientierten Unternehmen. Organisations- und Personalentwicklung mit Themenzentrierter Interaktion. Mainz: Grünewald.

Klein, Irene (1984): Gruppenleiten ohne Angst. Ein Handbuch für Gruppenleiter, 9. Auflage 2002. Donauwörth: Auer.

Kroeger, Matthias (1973): Themenzentrierte Seelsorge. Über die Kombination Klientenzentrierter und Themenzentrierter Arbeit nach Carl R. Rogers und Ruth C. Cohn in Theologie und schulischer Gruppenarbeit, 4. Auflage 1989. Stuttgart: Kohlhammer.

Kübel, Mary Anne (Hrsg.) (2002): Living Learning. A Reader in Theme-Centered Interaction. Delhi: Media House 2002 (zu bestellen: Odenwald-Institut, Trommstr. 25, 69483 Wald-Michelbach, Tel.: +49-(0)6207-605 200, email: buchhandlung@odenwaldinstitut.de).

Langmaack, Barbara (1991): Einführung in die Themenzentrierte Interaktion (TZI). Leben rund ums Dreieck. Weinheim: Beltz 2004 (seit 2001 als Taschenbuchauflage).

Langmaack, Barbara / Braune-Krickau, Michael (1985): Wie die Gruppe laufen lernt. Anregungen zum Planen und Leiten von Gruppen. Ein praktisches Lehrbuch, 7., überarbeitete Auflage 2000. Weinheim: Beltz.

Löhmer, Cornelia/Standhardt, Rüdiger (1992a): Themenzentrierte Interaktion (TZI). Die Kunst, sich selbst und eine Gruppe zu leiten, 2. Auflage 1994. Mannheim: Pal.

Löhmer, Cornelia/Standhardt, Rüdiger (Hrsg.) (1992b): TZI. Pädagogisch-therapeutische Gruppenarbeit nach

Ruth C. Cohn, 3., erweiterte Auflage 1995. Stuttgart: Klett-Cotta.

Löhmer, Cornelia/Standhardt, Rüdiger (1998): Themagecentreerde Interactie (TGI). De kunst zichzelf en groepen te leiden. Leuven/Apeldoorn: Garant.

Lott, Friedhelm (2001): Religionsunterricht als themenzentrierte Interaktion im Kontext einer Schule der Zukunft. Ostfildern: Schwabenverlag.

Lotz, Walter (2003): Sozialpädagogisches Handeln. Eine Grundlegung sozialer Beziehungsarbeit mit Themenzentrierter Interaktion. Mainz: Grünewald.

Portele, Gerhard/Heger, Michael (Hrsg.) (1995): Hochschule und Lebendiges Lernen. Beispiele für Themenzentrierte Interaktion. Weinheim: Deutscher Studienverlag.

Reiser, Helmut/Lotz, Walter (1995): Themenzentrierte Supervision. Mainz: Grünewald.

Rubner, Eike (Hrsg.) (1992): Störungen als Beitrag zum Gruppengeschehen. Zum Verständnis des Störungspostulats der TZI in Gruppen. Mainz: Grünewald.

Schulz von Thun, Friedemann (2004): Klarkommen mit sich selbst und anderen: Kommunikation und soziale Kompetenz. Reden, Aufsätze, Dialoge. Reinbek bei Hamburg: Rowohlt.

Standhardt, Rüdiger/Löhmer, Cornelia (Hrsg.) (1994): Zur Tat befreien. Gesellschaftspolitische Perspektiven der TZI-Gruppenarbeit. Mainz: Grünewald.

Standhardt, Rüdiger/Löhmer, Cornelia (Hrsg.) (1995): Lebendiges Lernen in toten Räumen. Zur Verbesserung der Lehre an der Hochschule. Gießen: Focus.

Stollberg, Dietrich (1982): Lernen, weil es Freude macht. Eine Einführung in die Themenzentrierte Interaktion, 2. Auflage 1990. München: Kösel.

Themenzentrierte Interaktion. Mainz: Grünewald. Seit

1987 erscheint halbjährlich die vom Ruth Cohn Institute for TCI international herausgegebene Zeitschrift Themenzentrierte Interaktion.

WILL-International (Hrsg.) (1994): Personen – Titel – Themen. TZI-Bibliographie mit Literaturhinweisen zur Theorie und Praxis der Themenzentrierten Interaktion (TZI). Erstellt von Rüdiger Standhardt, Cornelia Löhmer, Laura van Loosbroeck und Ivo Callens. Basel.

Quellennachweise

Zitat von Ruth C. Cohn, S. 15, aus: Ruth C. Cohn (1989), S. 152.

Zitat von Ruth C. Cohn, S. 20, aus: Ruth C. Cohn/Alfred Farau (1984), S. 370.

Zitat von Ruth C. Cohn, S. 23, aus: Ruth C. Cohn/Alfred Farau (1984), S. 323.

Zitat von Ruth C. Cohn, S. 29, aus: Ruth C. Cohn (1989), 2. Auflage 1993, S. 198.

Zitat von Ruth C. Cohn, S. 37, aus: Ruth C. Cohn (1975), S. 102.

Zitat von Ruth C. Cohn, S. 39, aus: Ruth C. Cohn (1975), S. 205.

Zitat von Ruth C. Cohn, S. 44, aus: Ruth C. Cohn: Verantworte Dein Tun und Dein Lassen – persönlich und gesellschaftlich. In: Themenzentrierte Interaktion 8 (1994) 2, S. 86.

Text von Ulrich Schaffer, »Du, nicht irgendeine unfaßbare Kraft«, S. 45, aus: Ulrich Schaffer (1989): ... weil du dein Leben entscheidest. Lahr: Kaufmann, S. 1.

»Chinesisches Märchen«, S. 46, aus: Michael von Brück (2002): Wie können wir leben? Religion und Spiritualität in einer Welt ohne Maß. München: Beck, S. 20–21.

Zitat von Ruth C. Cohn, S. 49, aus: Anita Ockel/Ruth C. Cohn (1992), S. 191.

Zitat von Ruth C. Cohn, S. 55, aus: Ruth C. Cohn/Christina Terfurth (1993), S. 309.

Zitat von Ruth C. Cohn, S. 57, aus: Ruth C. Cohn/Alfred Farau (1984), S. 353.

Zitat von Ruth C. Cohn, S. 61, aus: Ruth C. Cohn/ Alfred Farau (1984), S. 355.

Zitat von Ruth C. Cohn, S. 62, aus: Ruth C. Cohn/ Alfred Farau (1984), S. 356.

Zitat von Ruth C. Cohn, S. 64, aus: Ruth C. Cohn/ Alfred Farau (1984), S. 365.

Zitat von Ruth C. Cohn, S. 69, aus: Ruth C. Cohn (1975), S. 206.

Zitat von Ruth C. Cohn, S. 72, aus: Ruth C. Cohn/ Alfred Farau (1984), S. 448.

Zitat von Ruth C. Cohn, S. 103, aus: Deutsche Gesellschaft für Humanistische Psychologie (Hrsg.) (1980), S. 24f.

Text von Friedemann Schulz von Thun zur Humanistischen Psychologie, S. 104, aus: Friedemann Schulz von Thun (2004), S. 125f.

Zitat von Ruth C. Cohn, S. 109, aus: Ruth C. Cohn/Christina Terfurth (1993), S. 124.

Über die Autoren

Cornelia Löhmer, Dr. phil., Erziehungswissenschaftlerin M.A. Von 1986 bis 1997 wissenschaftliche Mitarbeiterin und wissenschaftliche Assistentin am Fachbereich Erziehungswissenschaften der Universität Giessen. Seit 1990 wissenschaftliche Leiterin des Giessener Forums und selbstständig tätig als Trainerin, Beraterin und Coach für Führungskräfte, Trainer und Hochschullehrende. Dipl. TZI-Gruppenleiterin (RCI int.), Kursleiterin und Ausbilderin in Progressiver Muskelentspannung für Kinder, Jugendliche und Erwachsene.

Rüdiger Standhardt, Dipl.-Pädagoge, Institutsleiter des Giessener Forums, selbstständiger Trainer, Berater und Coach für Personal- und Organisationsentwicklung. Ausbildung und Berufstätigkeit im Finanzamt, Studium der evangelischen Theologie sowie fünf Jahre Leiter einer Kontakt- und Informationsstelle für Selbsthilfegruppen. Dipl.-TZI-Gruppenleiter (RCI int.), Yogalehrer (BDY/EYU), Kursleiter und Ausbilder für Progressive Muskelentspannung und Streßbewältigung (MBSR). Langjährige Zen- und Yogapraxis bei Pater Lassalle, Prof. Dr. Michael von Brück und R. Sriram.

Gemeinsam gründeten wir 1990 das Giessener Forum für Bewegung, Bildung und Beratung. Unsere Arbeitsschwerpunkte sind Coaching, Kommunikation, TZI, Streßbewältigung und Progressive Muskelentspannung. Wir sind verheiratet, leben mit unseren beiden Söhnen in Giessen-Rödgen und einen Teil des Jahres in Anidri (Südwestkreta).

Dr. Cornelia Löhmer & Rüdiger Standhardt
Helgenstockstr. 15a
35394 Giessen-Rödgen
Telefon: 0641/493605
Telefax: 0641/493695
Internet: www.giessener-forum.de
E-Mail: info@giessener-forum.de